加谷珪一

中国経済の属国ニッポン

マスコミが言わない隣国の支配戦略

GS
幻冬舎新書
619

はじめに

皆さんは私たちの隣国、中国に対してどのようなイメージを持っているでしょうか。

多くの人は、安い工業製品を大量に輸出する新興国というイメージを持っていると思います。コロナ危機までは、日本にも大勢の中国人観光客が押し寄せていましたから、「爆買い」というキーワードが頭に浮かんだ人もいるかもしれません。

最近ではさすがに少なくなりましたが、中国のことを貧しい途上国と考えている人もまだいるようです。確かに筆者が子どもの頃の中国は、そうしたイメージそのものであり、人民服を着た大勢の人が自転車に乗って街中を行き来するような国でした。

しかしながら、こうした中国に対するイメージはすべて過去のものとなりつつあります。ここ10年の中国経済は、私たち日本人には想像もつかないペースで発展を遂げ、今や中国の技術は日本を大きく抜いて米国に匹敵する水準となっています。特に次世代産業の主役といわれるＡＩ（人工知能）や自動運転、無人機（ドローン）など最先端分野での存在感は圧倒的です。国民生活も急激に豊かになっており、日本を超える洗練された豊かな消費市場が生まれつつあります。

２０２０年から本格化した新型コロナウイルスの感染拡大によって各国経済は大きな打撃を受けましたが、一方で、中国はいち早くコロナ危機を収束させたと主張し、実際、中国経済は他国を尻目にプラス成長に転じています。こうした状況から、各国のシンクタンクの中には、中国が近い将来、米国を抜いて世界最大の経済大国になると予想するところが出てきました。そして中国政府もそれを強く意識し始め、まさに２０２１年は世界制覇に向けたスタートの年と位置づけています。

２０２１年はもともと中国にとって節目の年とされていました。中国共産党が結党１００周年を迎えることがその理由ですが、これに加えて同年からスタートする第14次５カ年計画には、改革開放路線以来となる重要な政策転換が盛り込まれました。詳しい内容は後述しますが、中国政府は２０２１年を起点として、世界の超大国を目指すという方針を明確に打ち出したのです。

中国は社会主義国家ですから、今でも計画経済が基本となっており、５年ごとに明確なプランを定め、忠実に実行していきます。５カ年計画は政治的にも極めて重要であり、共産党内部では、５カ年計画に何を盛り込むのかをめぐって激しい権力闘争が行われます。計画経済である以上、５カ年計画で定めた目標の達成は絶対であり、これに失敗した指導部は政治生命を失う危険性すらあります。

それを象徴するのが、２０００万人の犠牲者を出したともいわれる文化大革命（１９６0〜70年代）です。これは、党の主導権をめぐる壮絶な権力闘争でしたが、その発端となったのは毛沢東氏が推し進めた第2次5カ年計画「大躍進」の失敗でした。

これほどの重要性を持つ5カ年計画ですが、最新の第14次5カ年計画には、「双循環」という文言が盛り込まれました。この言葉は、中国が製造業を中心とした輸出主導型経済から内需を中心とした消費主導型経済に舵を切ることを意味しています。

中国はこれまで世界の工場として多くの工業製品を輸出しており、経済成長のエンジンとしてきました。しかし、今後は米国と同じような消費主導型経済を目指す方針をハッキリと示したのです。これは中国にとって、歴史的戦略転換といってよいでしょう。

そして5カ年計画では、今から14年後の「２０３５年までには1人あたりＧＤＰを中等先進国並みの水準にする」という目標が定められました。この数値から逆算すると、中国は今から10年程度の期間で米国を抜き去り、世界トップの超大国となります。これは日本経済にとってはもちろんのこと、世界経済にとっても極めて大きな変化です。
ＧＤＰの大きさが世界1位というのは、単に経済規模が大きいということだけにとどまりません。経済規模が大きいということは、ビジネスにおける影響力も世界最大であり、軍事力も比例して強大になることを意味しています。たいていの場合、技術力は経済力と比例しますから、中国は政治や経済、軍事、テクノロジーといったあらゆる分野において、米国に取って代わる可能性が高くなっているのです。しかも中国は民主国家ではなく、日本とは根本的に異なる価値観を持つ国です。

戦後日本は政治的にも経済的にも米国に依存する形で国家を発展させてきました。しかし、中国が米国を抜いて世界の頂点に立った場合、日本は重大な戦略転換を求められることになるでしょう。しかも困ったことに、トランプ政権の置き土産ともいえる米中貿易戦争の影響によって米中のデカップリング（分離）が進んでおり、世界はブロック経済に向けて動き出しています。ブロック経済の世界では、距離的に近い国が集団で経済圏を構築することになります。つまり、日本は望むと望まざるとにかかわらず、中国経済圏に取り込まれる可能性が高くなってしまうのです。

本書は、中国という、私たちとは異なる価値観を持つ国が超大国になるという厳しい現実を直視し、中国の現状はどうなっているのか、経済面を中心に、テクノロジーや軍事力などについて分析したものです。そして、強大な国家となった中国に、日本はどう対峙すべきなのか考察しました。

近年の日本社会は、自国を過度に賛美する風潮が蔓延しており、メディアも諸外国の動向について正確に報じることができなくなっています。中国はその最たるもので、中国の現状については不正確で偏った情報が目立ちます。

現実から目をそむけ、都合の良い話だけを耳に入れるのは短期的には心地よいことかもしれません。しかし、そのような態度では国家を発展させることなどできませんし、結果として、これまで享受してきた豊かな生活さえも手放すことになってしまうでしょう。たとえ厳しい現実であってもそれを受け入れ、問題を解決する努力を積み重ねることこそが、本当の意味で国を愛する態度だと筆者は考えます。

本書は中国の現状を可能な限り客観的に解説していますが、一部の読者の方にとっては驚かれるものもあるかもしれません。しかし本書で解説している中国の姿は、紛れもない事実であり、日本はこの現実を正面から受け止めた上で、今後の戦略を練る必要があります。

本書は以下の7つの章で構成されています。

第1章では、マクロ経済モデルを使って、中国のGDPがいつ米国を超えるのか予想するとともに、そうなった時に世界経済に何をもたらすのか具体的に解説していきます。この章を読んでいただければ、中国経済にそれほど関心がなかった人でも事の重大性が理解できるのではないかと思います。

第2章は中国の内需経済シフトについてです。中国は輸出主導型経済から消費主導型経済へのシフトを進めており、中国人によるいわゆる「爆買い」は国内消費に向かっています。中国が内需経済にシフトすることがどれだけの影響を他国に及ぼすのか分析します。

第3章は米中のデカップリング（分離）についてです。トランプ政権が仕かけた米中貿易戦争によって米中のデカップリングが加速しています。これまで世界各国は、中国を米国中心のグローバルスタンダードに引き入れることで牽制する戦略を実施してきました。トランプ政権によってその戦略が根本的に崩れてしまった現状を解説します。

第4章は中国の技術力についてです。中国の技術力はすでに現時点で世界トップレベルとなっており、日本企業は多くの分野で完全敗北しつつあります。中国がなぜ高度な技術を短期間で獲得できたのか、その秘密を探ります。

第5章は中国の軍事力です。現代の軍隊はハイテクのかたまりですから、各国の戦争遂行能力は基本的に経済力に比例します。しかも中国は軍事力の増強についてまだ余力があり、さらに強大な軍事大国になる可能性があります。

第6章は近頃メディアでも取り上げられることが増えた脱炭素シフトです。中国は世界最大の工業国であり大量の二酸化炭素を排出していることから、これまで脱炭素には消極的でした。ところが中国は2020年後半に方針を大転換し、2060年までの排出量ゼロを宣言しています。中国が戦略を転換した理由や、脱炭素シフトは日本にとって中国を牽制する最大の武器であることなどについて解説します。

最終章では、第1章から第6章までの分析結果をもとに、日本は今後、中国とどう対峙していくべきなのかまとめました。

本書を読めば、中国の台頭という出来事が、日本にとって戦後最大の危機であることがお分かりいただけると思います。そしてこの危機に対してどう立ち向かうのかを決めるのは他ならぬ私たち自身です。

中国経済の属国ニッポン／目次

第3章 中国の台頭を許したトランプ政権の大失態 85

第6章　中国がいよいよ脱炭素に舵を切ったことの意味　193

図版・DTP　美創

第1章 2030年、米中の覇権が逆転する

GDPトップになれば外交・軍事でも支配的に

近年、中国がめざましい経済発展を遂げ、日本を抜いて世界第2位の経済大国になっていることは多くの人が認識していると思います。そして中国と米国の経済状況を冷静に分析すると、近い将来、もう少し具体的にいうと2030年頃には米中のGDP（国内総生産）が逆転し、中国は世界最大の経済大国になる見込みです。

中国は日本にとっては隣国ですが、地政学的な利害関係が一致せず、基本的な価値観も共有していません。こうした国が世界の頂点に立つということは、日本にとって極めて深刻な事態といってよいでしょう。

第1章では、中国の経済規模が今後どのように推移するのかについて分析していきますが、その前に、経済規模が大きいということが国家覇権（ヘゲモニー）という観点において、どれほど有利なことなのか解説しておきたいと思います。この原理原則が理解できると、今の日本が置かれている状況をより的確に把握できるからです。

皆さんよくご存知のように、国の経済規模というのは通常、GDPで表されます。GDPはその国の経済力を端的に示す指標ですが、GDPが大きいことがそのまま国民の豊かさにつながっているとは限りません。

GDPの数値が大きくても、人口が多く、1人あたりのGDPの数値が小さければ、国民は豊かな生活を享受できません。1人あたりのGDPはおおよそ国民の平均年収に近い値となりますから、国民生活の豊かさという点では、GDPの絶対値ではなく、1人あたりのGDPを用いて比較するのが適切でしょう。

2020年における日本の1人あたりGDPは3万9000ドルでしたが、米国は6万3000ドルとなっています。世界でもっとも豊かな国のひとつである欧州の小国ルクセンブルクは何と10万ドルを超えています。

米国は日本の1・5倍ほど豊かということになりますが、米国における大卒社員の初任給は日本の1・5倍から2倍ですから、1人あたりのGDPの違いとほぼ同じです。物価の違いを考慮した購買力平価の為替レートでドル換算しても近い値なので、米国人は日本人の1・5倍、ルクセンブルクに至っては2・5倍豊かな生活を送っていると考えて差し支えありません。コロナ危機で打撃を受けたとはいえ、米国では1000万円近くするピックアップ・トラックが飛ぶように売れていますが、日本人の1・5倍稼いでいるわけですから、高いクルマがバンバン買えるのもうなずける話です。

一方、中国の1人あたりGDPは市場レートで日本の約4分の1、購買力平価の為替レートでは約半分です。

中国は人口が多く、貧しい地方と裕福な都市部の格差が激しいといわれています。中国沿岸部の大都市は、香港に近い経済水準があると考えられますが、香港の1人あたりのGDPは購買力平価のレートで日本の1・4倍もあります。したがって中国は日本並み、あるいはそれ以上に豊かな都市部と貧しい地方の数値が平均され、現在の1人あたりのGDPが算出されていると見てよいでしょう。全体を平均すれば、中国は日本よりも貧しい状況にあることが分かります。

これらの比較は、1人あたりのGDPを基準にしたものですから、あくまでも国民の生活水準の高さを評価したものです。

一方で、外交や軍事力、ビジネスなど、対外的な交渉力や国家覇権という点では、1人あたりのGDPではなく、GDPの絶対値がモノを言います。この理屈は、圧倒的な経済力を持つ米国が、世界の中心であったことからも直感的に理解できると思います。

戦後の国際社会はすべて米国を中心に回ってきたといっても過言ではありません。そして、米国が世界のリーダーとして君臨し続けることができたのは、ひとえにその巨大な経済力のおかげです。米国はGDPの規模において他国を圧倒しており、これが諸外国に対するパワーの源泉になってきたのです。

一般的に国家が成熟してくると、製造業中心の輸出主導型経済から、個人消費中心の消費主導型経済にシフトしていきます。米国はGDPの約7割が個人消費という典型的な消費主導型経済ですが、米国はその旺盛な購買力を利用して、各国から猛烈な勢いで商品を購入（つまり輸入）してきました。

戦後の全世界的な貿易の流れを見ると、基本的に日本や中国、そして欧州も米国に対して輸出超過となっています。米国は巨大なブラックホールのように世界中からモノを吸い込んでいるわけですから、各国から見れば米国は最大のお客さんということになります。多くの人が仕事での経験から直感的に理解できると思いますが、モノを売る側と買う側では立場がまるで異なります。モノを買う側は売る側よりも圧倒的に優位ですから、突出した輸入大国である米国は、それだけで大きな交渉力を持ちます。

中国が台頭するまで、日本は米国に大量の製品を輸出しており、一時は米国に迫る勢いで経済を発展させましたが、日本は米国に対してまったくといってよいほど交渉力を持っていません。

日本は太平洋戦争の敗戦国であり、かつては米国の占領を受けていました。日米安全保障条約が存在していることから、戦後の安全保障をすべて米国に依存する形になっており、国内では「日本は米国の属国であり、対等に交渉はできない」といった意見も少なくありませんでした。

確かに日本が敗戦国であることや、日米安保の存在によって、日本の交渉力が削がれている面があったのは事実ですが、安全保障とは直接関係しない貿易交渉などでも、常に日本は圧倒的な譲歩を強いられてきました。その最大の理由は、日米安保ではありません。日本企業にとって米国は最大顧客であり、ビジネスの利害関係上、日本は米国に強く出られないからです。交渉力がないことの根源には経済的立場の違いが存在しているのです。

安全保障だけが原因でないことはドイツを見ればよりはっきりしてくるでしょう。

EU（欧州連合）が成立し、ドイツはフランスと並んでEUの盟主となりましたから、今でこそドイツは米国に対してかなり強くモノを言える立場となりました。しかし、かつてのドイツは日本と同様、経済大国ではありましたが、米国への輸出に依存する国であり、米国に対する大きな発言力はなかったというのが現実です。

EU全体として見た場合、米国に対しては輸出超過ですが、EUは米国からも多くの製品やサービスを輸入しており、米国企業から見れば、EUはかなりのお得意様です。こうした「買う」「売る」という関係が外交にも極めて大きな影響を与えていることがお分かりいただけると思います。つまり国際的なパワーバランス上、GDPが大きいことに加え、旺盛な消費を背景に各国から多くの製品やサービスを輸入していることは、大きな交渉力の源泉となるのです。

金融覇権は世界支配の根幹

経済大国であり、かつ消費大国でもあることは、金融市場における支配力という、さらに巨大なパワーをその国にもたらします。米国は世界各国からモノを買っているわけですが、ビジネスのルールを決める権利は当然ながら買う側にあります。つまり、米国は外国からモノを買うにあたって、ドルでしか支払いはしないと言い切ることができるのです。

米国に輸出する日本企業にとっては、代金を円で支払ってもらった方が圧倒的に便利ですが、米国が顧客であり、顧客がドルでの支払いを指定している以上、それに逆らうことはできません。これは日本だけの話ではなく、米国にモノを売る国はすべてドルで代金を受け取っています。米国は取引するすべての国に対して、自国通貨であるドルでの支払いを行っているわけですが、これがもたらすパワーは想像以上に大きなものです。

米国がドルで支払いを行うということは、輸入するたびに各国にドルがバラ撒かれていることを意味しますが、ドルを受け取った各国の取引先は、銀行にそのドルを持ち込み、自国通貨に両替しなければなりません。しかし、各国の通貨はドルではありませんから、ドルを受け取り、企業に自国通貨を渡した銀行は大量の外貨（ドル）を抱えることになります。ドルを抱えた世界各国の銀行は運用に苦慮することになり、結果として米国の金融機関と取引せざるを得なくなります。このようにして米国の金融機関は自動的に全世界に営業網を拡大できるのです。

貿易を通じて全世界的なドル経済圏が出来上がっているわけですが、これがもたらすパワーは想像を超えるものです。送金ひとつとっても、それは明らかでしょう。

外国に家族や親戚がいる人は、海外送金した経験があると思いますが、銀行がお金を受け取った後、具体的にどのように送金しているのかについて知っている人は少ないのではないでしょうか。

銀行の窓口でドルを購入して送金手続きをすれば、ほどなくして相手の銀行口座にお金が振り込まれます。ところが、現実にはお金の送金は行われていません。豊富なドル資金を保有するコルレス銀行と呼ばれる中継銀行が、多くの送金を取りまとめて代理決済し、最終的に送金と着金の相殺処理（差分決済）を行っているだけなのです。

海外送金が行われているということは、両国に経済的なやり取りがあるということですから、たいていの場合、送金額と同じくらいの金額が逆方向にも送られています。送金と着金の差分はごくわずかなので、実際には全額を送金しなくても大丈夫なのです。

しかも、この仕組みは、ドル以外の通貨で送金する場合にも適用されます。最終的には現地通貨に両替されることになりますが、一旦はドルで決済が処理されますから、現実的にはドル送金と変わりません。つまり国際送金の多くはドルベースで、しかも銀行間で処理しているに過ぎないのです。海外送金というのは見かけ上の話であり、ドル資金を持っている米国の銀行が、帳簿上でお金を動かしているだけというのが海外送金の現実といってよいでしょう。

仮に、米国の銀行がこの業務をやめてしまうと、世界各国の企業は送金業務ができなくなってしまいます。さらにいえば、米国の銀行がすべてのお金の動きを管理しているわけですから、理屈上、米国政府は一連の資金の流れを把握することが可能です。

米国はかつて、北朝鮮の資金洗浄に関わった疑いがあるとして、米国内の銀行に対し、マカオにあるバンコ・デルタ・アジアとの取引を停止する命令を出したことがありました。この命令によってバンコ・デルタ・アジアは基本的に業務停止に追い込まれたのですが、なぜ米国政府は、自国の銀行に対して取引停止を指示するだけで、外国にある銀行をつぶすことができるのでしょうか。

その理由は、先ほど説明したように国際取引のほとんどが米銀の決済システムを経由しており、米銀との取引ができないと、米国とは無関係の国にある銀行であっても、国際業務が遂行できなくなってしまうからです。巨額のＧＤＰを持ち、世界最大の消費国として輸入を行い自国通貨を世界に流通させていることが、どれほどのパワーをもたらすのかお分かりいただけるのではないかと思います。

戦前までは、この立場は基軸通貨ポンドを持つ英国が保持していましたが、米国は第二次世界大戦後、友好国であるはずの英国に冷酷な仕打ちをしてまでポンド覇権を奪い取りました。その理由は、絶大なパワーを持つ金融覇権を確立するためです。

こうした筆者の意見に対しては、軍事力という要素を無視しているとの指摘をいただくことがあります。確かに経済的なパワーと軍事的なパワーは元来、別のものですが、現代においては、その指摘は当てはまりません。高度な装備を必要とする現代的な軍隊の場合、投入できる軍事費の多寡で戦争遂行能力はほぼ一意的に決まってしまいます。そして、どの程度の金額を軍事費に投入できるのかは、基本的にGDPの大きさに依存すると考えてよいでしょう。

北朝鮮のように国民を飢えさせてでも軍事費を捻出する国もありますが、これは例外中の例外です。詳しくは後述しますが、各国が軍事費に投入できる最大値は、GDPの大きさでほぼ決まってしまうため、GDPが大きいことはそのまま軍事大国であることを意味しているのです。

整理すると、GDPが大きいこと、消費大国であること、金融覇権を持っていることは、支配力に直結するわけですが、この3つのキーワードはよく覚えておいてください。これらはすべて、今後の中国に密接に関わってくるからです。

20年でゼロ成長の日本、GDP12倍の中国

少し前置きが長くなりましたが、こうした観点でGDPというものを眺めると、中国という国がさらに巨大化し、米国のGDPを超える事態になった場合、国際的な秩序が激変する可能性が高いことは容易に想像できると思います。では、米国と中国、そして日本の

2020年における各国の名目GDP

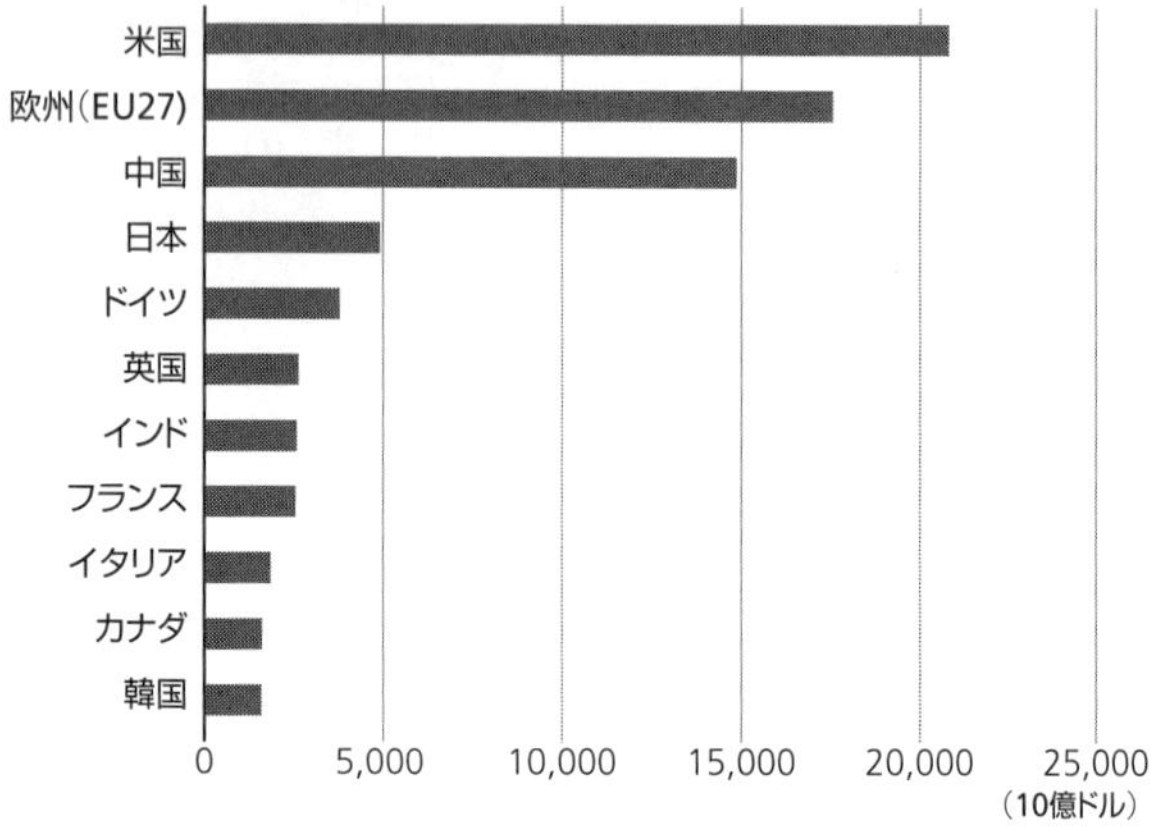

出所：IMF（2020年10月時点の見通し）

３カ国は、経済的に見てどのような位置づけになっているのでしょうか。上の図は２０２０年における名目ＧＤＰを比較したグラフです。

米国の名目ＧＤＰは20・8兆ドル（約２２８８兆円）となっており、現時点でも圧倒的なトップですが、中国が米国にかなり迫っていることが分かります。中国と日本のＧＤＰの順位が逆転したのは２０１０年のことですが、そこからわずか10年で中国は日本のはるか先を行き、米国の地位を脅かすまでに成長している現実がお分かりいただけると思います。近年、日本の国際的な地位が急激に低下したと感じている人は多いと思いますが、その最大の理由は、他国と比べてGDPの成長率が著しく低く、経済規模が小さくなってしまったからです。

日本のGDPは過去20年間ほぼゼロ成長でしたが、同じ期間で米国は2倍、ドイツとフランスは1・9倍、英国は1・6倍に成長しています。中国に至っては12倍という驚異的な成長を実現しており、2010年にはとうとう日中のGDPが逆転しました。

日本の相対的な経済規模が小さくなったことから、日本企業の存在感や政府の外交力など諸外国に対するパワーは低下の一途を辿っています。

ちなみに日本の次にGDPが大きいのはドイツ、英国、インド、フランス、イタリアです。このうちドイツ、フランス、イタリアはEUの加盟国であり、イギリスも離脱したとはいえ、EUと関税なしの自由貿易協定を締結しましたから、限りなくEUに近い存在です。近年、国際社会におけるEUの存在感は高まっており、事実上の国家として処遇されていると判断してよいでしょう。

EU27カ国に英国を加えた28カ国のGDPは中国を上回っていますから、EUを国家と考えた場合、国際社会はすでに米、欧、中という3極体制にシフトしていると見なすことができます。外交交渉においては、交渉の土台となるルール作りを誰が行うのかで結果に天と地ほどの差が生じます。EUについては域内でも賛否両論がありましたが、EUが国家のように振る舞うことで、国際社会におけるルール作りを主導できるようになり、欧州各国の交渉力が飛躍的に高まったのは紛れもない事実です。

日本の菅義偉首相は就任後の所信表明演説において、安倍前政権の方針をほぼ１８０度ひっくり返し、「２０５０年までに温暖化ガスの排出量を実質ゼロにする」という脱炭素宣言を行いました。米国も民主党のジョー・バイデン氏が大統領に選ばれたことで、トランプ政権の方針を撤回し、本格的な脱炭素に舵を切る方針を明確にしています。

脱炭素シフトという政策は、地球環境を守るためという意味もありますが、現実には国際的な覇権争いそのものです。米国が持つ石油とドルを用いた世界支配に対して、欧州が脱炭素化を武器に切り崩しにかかっているという図式であり、実際、国際社会は欧州勢が望むように動きつつあります。

もしＥＵという事実上の巨大な単一国家がなければ、欧州勢がこれだけの影響力を世界に行使することはできなかったでしょう。こうしたことからも、巨大な経済圏を持つことがどれだけ重要であることなのかが分かります。

国際社会において、経済規模の大きい３つの国家が並び立つことは、ビジネスのルールや周辺国の国内経済にも極めて大きな影響を及ぼします。

詳しくは後述しますが、中国の台頭によって米国と中国のデカップリング（分離）が始まっており、米国と中国は異なる経済圏を形成しつつあります。経済圏の分離が始まると、使われる技術や商習慣についても分離が進むことになりますが、今後の経済成長を主導する役割が期待されているIT業界では、すでにその影響が顕著となっています。

これまでのIT産業は米国企業が主導権を握っており、使われている技術の標準を決めるのは米国でした。ところが中国が急速に技術力を高めていることから、中国独自の技術仕様がたくさん登場し、一部では国際標準を中国企業が決定するという事態になっています。しかもトランプ政権の政策転換によって米国と中国は事実上の貿易戦争状態となりましたから、両国のやり取りは急速に縮小しているのが現実です。近い将来、米国の技術体系と中国の技術体系はバラバラになり、相互に利用することが困難になる可能性も指摘されています。

これは技術分野にとどまる話ではなく、取引や決済といった商習慣、物流、賃金体系など社会の様々な分野に関係してきます。

基本的に貿易というのは、遠い国よりも近い国と活発になる傾向が強く、日本の対中貿易額はすでに対米貿易額を上回っています。それでも、これまでの時代は米国中心の国際社会でしたから、日本はもちろんのこと中国も米国に合わせて行動する必要がありました。米国と中国の間に位置する日本にとっては好都合であり、米国基準の技術や商習慣を獲得しておけば、米国とも中国とも取引ができたわけです。

ところが、これからの時代は、米中欧というブロック経済が成立し、その経済圏内を中心にモノやお金が行き交うようになる可能性が高いと考えられます。先ほど説明したように経済のブロック化は、商習慣や技術のブロック化とセットになりますから、日本にとっては極めて深刻な事態といえます。これまで通り米国を向いてビジネスをしていくのか、中国を向いてビジネスをしていくのかという重大な選択を迫られる可能性が高まっているのです。

これは日本という国のあり方そのものに対して、根本的な価値観の転換を迫る可能性があると考えるべきでしょう。現状においては、米中欧が拮抗する形で3極体制が出来上がっているわけですが、長期的にはこの図式も大きく崩れることになります。

中国は当分の間、経済成長を続ける可能性が高く、一方で、欧州の成長は鈍化が予想されています。米国は中国に抜かれるとはいえ、高い成長を持続できます。巨大な米中という2カ国に対して、少し規模の小さい欧州といういびつな3極体制が出現する可能性が高く、日本の立場はますます微妙になると考えられます。

中国のGDPトップは30年以上続く

では、具体的に中国のGDPは、いつ米国を追い抜き、世界の超大国となるのでしょうか。筆者は10年後の2030年頃だと予想しています。

次ページの図はマクロ経済モデルを使って筆者が推定した、米国、中国、欧州、そして日本の2060年までの経済規模（実質GDP）予想です。

このシミュレーションでは2030年に米中が逆転し、しばらくは中国が世界最大の経済大国となる時代が続きます。中国は米国を抜かした後、成長鈍化が始まり、その後は米国が再び追いつくという予想となっています。しかし米国のGDPが中国と再び拮抗するのは2060年ですから、かなり先の話になるでしょう。

中国と米国は成長率の違いこそあれ、基本的に成長が持続するという流れですが、欧州の成長率は伸び悩むため、米中と欧州の格差は拡大する見通しです。日本についても同様で、今のままではほとんど成長することができず、横ばいの状態が続きます。

2030年以降の国際社会は中国が頂点に立ち、米国が中国を追いかけ、中国、米国と、

米国、中国、欧州、日本のGDPの長期予想

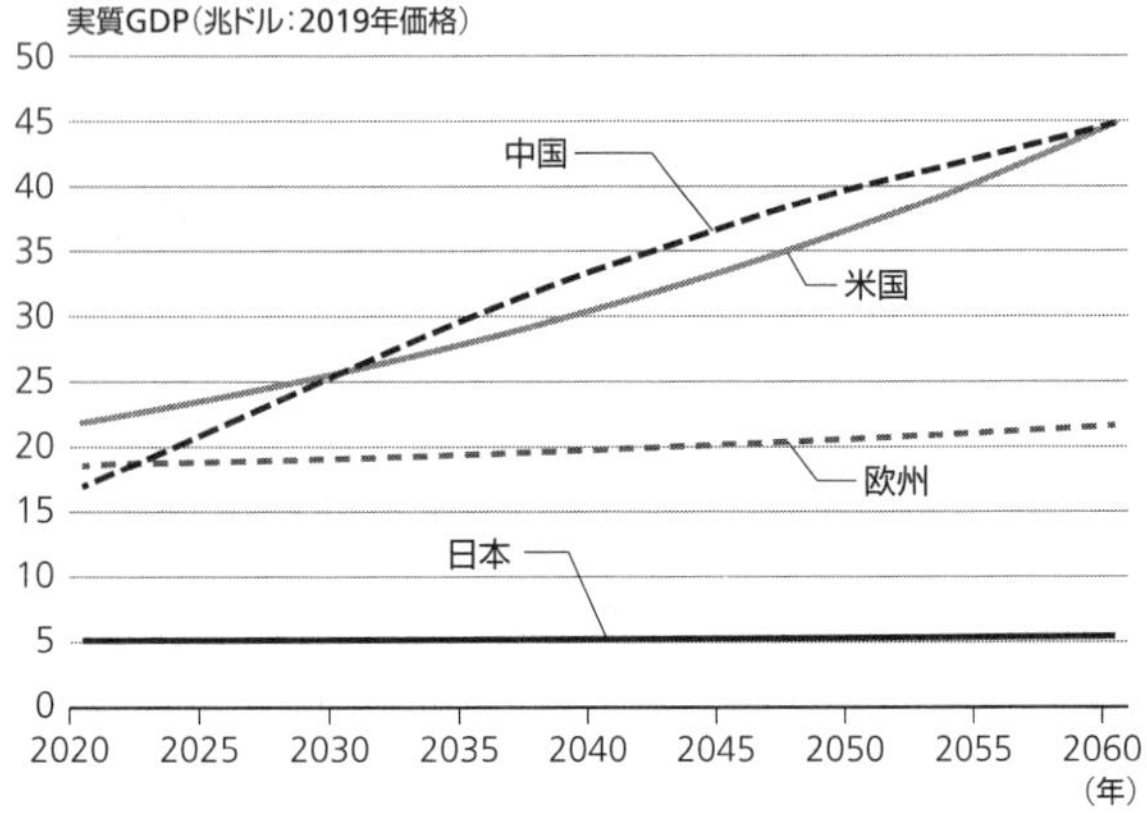

出所:生産関数を使ったマクロ経済モデルによる筆者推計

※コブ・ダグラス型関数を用いた供給サイドのマクロモデルを適用
※投入労働量については各国の人口推計で代用した
※中国の資本ストックは公式統計が存在しないことから、フローからの推計値を使用している
※米国のGDPデフレーターを用いて、各国の現地通貨ベースの数値を実質化
※2019年を起点にしており、直近のコロナ危機による影響を排除しているので、2020年のGDPは、現実の数値と完全には一致しない
※TFP(全要素生産性)については過去10年の平均増加率を適用。中国については1人あたりGDPの増加に伴って生産性が一定割合で低下すると仮定。TFPの算出は下記を参照

コブ・ダグラス型関数は以下を設定した(資本K、労働量L、全要素生産性A、資本分配率α)

$$Y=AK^{\alpha}L^{(1-\alpha)}$$

両辺の対数を取ると、式は以下のようになる

$$\log Y=\alpha\log K+(1-\alpha)\log L+\log A$$

各辺を微分すると以下となり、各項目の成長率に区分できるので、過去の実績値からAを算出

$$\frac{dY}{Y}=\alpha\frac{dK}{K}+(1-\alpha)\frac{dL}{L}+\frac{dA}{A}$$

それに続く欧州という上位2カ国に偏った3極体制が出現します。

米国は中国に抜かされているとはいえ、その後は巻き返しを図ることができますから、米国と中国の覇権争いは収まらない可能性が高いでしょう。

結果的に、米中が互いに緊張関係を保ったまま、3極体制が維持されるというのが基本的な図式となります。米国が持っている覇権がすぐに消滅することはありませんが、日本の隣に世界トップの超大国が出現し、米中両国の緊張が続くという状況ですから、日本における対外戦略は根本的な見直しが迫られます。

これはあくまで筆者独自のシミュレーションですが、英シンクタンクの経済ビジネスリサーチセンターは2028年に、日本経済研究センターも2030年前後の米中逆転を予想しています。複数の試算がほぼ同じ結果を示しているわけですから、確度はかなり高いと考えるべきです。

以上が大まかな図式ですが、この予想についてもう少し深く掘り下げてみましょう。

皆さんもよくご存知のように、経済というのは基本的に需要と供給で決まります。今後の需要と供給がどう推移するのか予想できれば、将来の経済について見通しを立てることができます。

しかしながら、需要と供給というのは相互に関連しており、一概にどちらが経済を決定づけるのか判断することはできません。経済学の世界では、最終的に需要サイドが経済を決めるのか、供給サイドが経済を決めるのかというのは、一大論争となっていますが、経済政策など実務の世界では、こうした学術的な論争はあまり意味がありません。

一般的には、短期的な経済予測には需要サイドのモデルを用い、長期的な予想には供給サイドを用いることが多いのですが、その理由は、時間軸が長くなると、人口動態やイノベーションの度合いなど、供給サイドの要因がより大きく影響してくるからです。

供給サイドから将来の経済水準を予測するにあたっては、生産関数と呼ばれる数式が用いられます（左ページ図参照）。経済成長理論の分野では、成長を決定づける要因として、①資本投入、②労働投入、③全要素生産性（ＴＦＰ）の３つが存在するとされていますが、もっと分かりやすい言葉を使えば、お金と労働者とイノベーションの度合いが経済成長を決定するということになるでしょう。

つまり、たくさんのお金を投じ、より多くの労働者が仕事に従事して、イノベーションが活発になれば、経済は成長するわけですが、逆にいうとこれらの要素のうち、いずれかが欠けてしまうと成長は鈍化してしまいます。経済を持続的に成長させるためには、この

経済成長を決める3要素と生産関数

資本（K） ＋ **労働（L）** ＋ **イノベーション（TFP）全要素生産性**

↓ 数式で表すと

生産関数

$$Y(GDP)=AK^{\alpha}L^{(1-\alpha)}$$

K：資本　L：労働量
A：イノベーションの度合い（定数）　α：資本分配率（定数）

出所：筆者作成

３つをバランス良く拡大させていく必要があります。

　本書では生産関数のひとつであるコブ・ダグラス型関数を使用し、資本投入や労働投入、そしてイノベーションの度合いを数値化し、式に代入することで将来のＧＤＰを計算しました。したがって、この３つの要素が将来、どう推移するのか分かれば、その国がどのような経済発展を遂げるのかについて予想できるわけです。

　急激に成長している発展途上国を除けば、資本投入量というのは、前年のＧＤＰ水準によっておおよその額が決まってしまいます。米国や日本のようにそれなりの規模を持った国が、ある年だけ前年の２倍も設備投資を行うことは、通常、考えにくいことです。これは大国に成長した中国も同じであり、資本投入量は、各国の長期予想においては、それほど大きな影響を及ぼしません。一方、労働投入は国によって事情が大きく異なります。

このようなシミュレーションを厳密に行う場合、労働に従事する人の総数を用いるのがベストですが、どの国でも子どもと老人は働きに出ませんから、基本的に労働力の変化は人口の変化に近いと考えてよいでしょう。つまり労働投入は人口動態に左右されるという話ですが、この点において、各国には大きな違いがあります。

米国は継続して移民の流入があることや、米国人は大の子ども好きであり、出産を望む人が多いことなどから、人口は長期にわたって増加すると予想されています。

一方、日本は少子化が急ピッチで進んでおり、今後、人口が大幅に減少すると予想されています。中国も同じで、一人っ子政策の結果、近い将来、人口増加のペースが一気に低下するのは確実です。今のところ中国の人口は増えていますが、２０３０年代前半から減り始めますから、長期的にはこれが中国の成長を阻害する要因となるでしょう。

先ほどの長期予測では、中国のＧＤＰは米国を超えた後、成長が鈍化しますが、その理由のひとつは人口動態です。欧州は日本ほどではありませんが、少子化が進むので、やはり人口減少がＧＤＰにマイナスの影響を与えることになります。

そして中国にはもうひとつ、成長が鈍化する要因があります。それは、一定水準以上に豊かになることで生産性の伸びが低下するという、いわゆる「中所得国の罠」です。中国は今後、この影響が大きくなる可能性が高く、長期的な成長率を押し下げると考えられます。

日本は中国の顔色を窺いながらビジネスすることに

では「中所得国の罠」とは具体的にどのような現象なのでしょうか。

先ほどのマクロ経済モデルでは、人口と資本がＧＤＰの成長に大きな影響を与えるわけですが、同じ資本投入と人口動態であっても、国によって成長率は異なります。この違いをもたらすのが、全要素生産性（ＴＦＰ）、つまりイノベーションの度合いです。

ここでいうところのイノベーションというのは、ＩＴ産業に代表されるような直接的な技術革新だけでなく、一般的なビジネスにおける業務改善や、基本的なインフラ整備など、幅広い意味を持っています。成長著しい新興国は、産業分野のあらゆる面において改善が見込めますから、一般的にＴＦＰの伸び率が大きくなります。一方、豊かになった成熟国の場合、社会や経済の仕組みがある程度、出来上がっていますから、新興国のようなペースで技術革新は進みません。

つまり経済が豊かになってくると、技術革新のペースが鈍化し、結果として経済成長にもブレーキがかかるようになります。これが中所得国の罠ですが、これは文化圏を問わず、多くの国に共通して見られる現象です。

左ページのグラフは、１人あたりのＧＤＰを横軸、ＧＤＰの成長率を縦軸に取り、各国を比較したものです。欧米と日本、そして中国が成長した時期は異なりますから、時代によってお金の価値が変わります。このため１人あたりのＧＤＰについては２０１５年のドル価格で実質化しました。

日本のグラフを見るとよく分かりますが、１人あたりのＧＤＰが１万ドルを超えると、顕著に成長率が低下していきます。欧米各国も２万ドルを境に、成長率が低下しており、豊かさと成長率は相反することが理解できると思います。

１人あたりＧＤＰが１万ドルというのは、豊かさの境界線といわれており、１万ドルの水準を超えてくると、国民は先進国に近い生活を送ることができるようになります。２０１５年の価値に換算して、日本の１人あたりＧＤＰが１万ドルを突破したのは１９６０年

1人あたりのGDPと成長率の関係

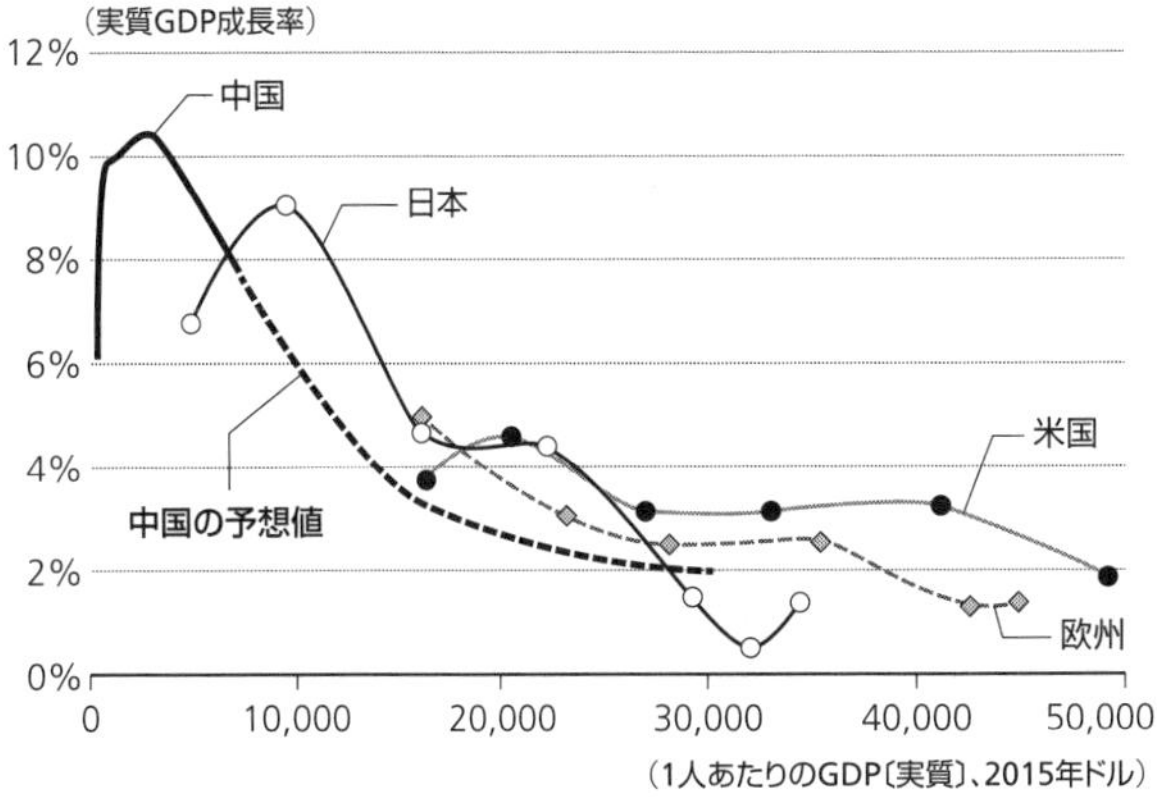

出所：OECD、IMFなどから筆者算出

代のことです。

筆者は１９６９年生まれですが、小学校に入学する頃までは、街中はかなり汚く、一部では貧しい時代の雰囲気を色濃く残していました。ところが１９７０年代の後半から80年代にかけて社会は急速に豊かになり、施設も見違えるように立派になっていきました。現在の価値に換算して1万ドルを超えると、国民の生活水準が激変することは、筆者も実感としてよく理解できます。

一方で、このグラフからも分かるように、1万ドルを突破すると社会の豊かさとは反対に、成長率の伸び悩みという問題に直面することになります。１９７３年のオイルショックをきっかけに日本経済の平均成長率は大幅に低下することになりますが、当時の新聞には「低成長時代」というキーワードが頻繁に登場します。つまり1人あたり1万ドルという数字を境に、大きな断絶が発生するわけですが、現在の中国はまさにその境界線上に位置していると見てよいでしょう。

２０２０年における中国の1人あたりＧＤＰは1万５８２ドルと、ちょうど1万ドルを突破したところです。過去のケースに従うと仮定すれば、中国は今後、全要素生産性の伸びが低下し、それに伴って経済成長率も徐々に鈍化すると考えられます。特に中国の場合、製造業による輸出で経済を回すという、かつての日本とまったく同じ産業構造でしたから、ほぼ完全に日本経済の後追いをしています。

こうした状況から、今回のシミュレーションでは、中国の全要素生産性については、一定割合で伸び率が低下すると仮定しました。この結果、人口減少とイノベーションの停滞によって、中国の成長率は徐々に鈍化するという予想になっています。

本書は、中国が経済大国化することによる日本への影響について論じています。その観点からすると、中国の成長率鈍化は日本にとって喜ばしい話に思えますが、現実はそうでもありません。

1人あたりのＧＤＰが1万ドルを超え、成長鈍化が始まったということは、中国が名実共に先進国となりつつあることを示しており、日本にとってはむしろマイナス要因と考えてよいでしょう。その理由は、先ほども説明したように、国民の所得が高くなると、製造業主導から消費主導に経済構造がシフトし、その結果、各国から大量にモノを輸入する消費国家に変貌するからです。ビジネスにおける原理原則として、大量に製品を購入する国の交渉力は顕著に高まります。

中国はこうしたメカニズムをよく理解しており、現在、国をあげて内需拡大策つまり消費経済へのシフトを進めているのです。もし、これが実現した場合、アジアに米国を超える消費大国が出現することになりますから、日本は、今の輸出モデルを続けていく限り、中国を最大顧客としてビジネスをしていかなければなりません。これは日本にとって極めて大きな試練ということになるでしょう。

「中国の統計は信用できない」は現実逃避

これまで説明してきたことを整理すると、以下のようになります。

①中国は2030年頃に米国のGDPを抜き、世界一の経済大国となる
②一方で中国の成長率は鈍化するので、2060年には再び米国と拮抗する

③中国は成長が鈍化する代わりに、消費大国となり莫大な購買力を発揮する
④日本は人口減少の影響が大きく、ほとんど成長できない可能性が高い
⑤近い将来、国際社会は米中とそれに続く欧州という3極体制にシフトする

こうした状況に拍車をかけているのが米中貿易戦争をきっかけとした米中経済のデカップリングと新型コロナウイルスによる経済危機です。

トランプ政権が成立するまで、世界経済のスタンダードは米国でした。中国は米国への輸出で経済を成り立たせていましたから、不本意ながらも中国は米国主導の枠組みを受け入れざるを得ませんでした。ところが、トランプ政権の誕生がこの状態を一気に変えることになります。

トランプ政権は、中国を敵視するスタンスを明確にし、中国からの輸入に高関税をかけ、米中は、事実上の貿易戦争に突入しました。この結果、中国から米国への輸出は激減し、中国は東南アジアとの貿易を拡大、一方で米国はメキシコなど中南米との取引を増やす結果となりました。

中国は一時的に大きな打撃を受けましたが、逆に米国への輸出が激減したことから、米

国に対して遠慮する必要がなくなりました。その結果、中国は米国の存在を気にすることなく、アジア政策を進められるようになったのです。つまりトランプ氏が行った政策は、中国を封じ込めるどころか、米中のデカップリングを促進することになり、中国のアジアにおけるプレゼンスを高めるという皮肉な結果をもたらしています。

中国は２０２０年に香港国家安全法を施行して香港の弾圧を強化したり、デジタル人民元の本格的な実証実験をスタートさせたりしていますが、これらの動きはすべて水面下でつながっています。米中貿易戦争をきっかけに、中国は急ピッチで米中の分断を進めており、中国経済のブロック化を画策しているのです。

米国と中国のデカップリングが進むと同時に、欧州の単一市場化も着々と進んでいます。中国が世界一の経済大国になる２０３０年代には、米国と中国、欧州と中国、そして欧州と米国の関係も今とはまったく違ったものになる可能性が高いでしょう。

これまでは米国を中心に世界中でモノやお金が行き交う社会でしたが、これからは米中欧というブロック経済が成立することで、その経済圏内を中心にモノやお金が行き交うようになる可能性が高くなります。それが経済にもたらす影響については第３章で解説していきたいと思います。

第1章はこれで終わりですが、参考までに中国のGDP統計の信頼性について少しだけ解説しておきたいと思います。

よく知られているように、中国のGDP統計は一部に不正確なところがあり、先進国と同じレベルの信頼性は担保できないといわれています。一部の論者は中国政府が意図的にGDPの数値を改ざんしていると主張しているようです。

中国はもともと共産国家ということもあり、西側各国とは異なる経済指標を用いてきました。マルクス主義経済は、基本的に計画経済ですから、市場で自由に価格が決まるとは考えません。したがってマクロ経済の統計もほぼすべて供給側からの算定です。

日本や米国では、企業の生産高など供給側のデータを収集し、その後、家計調査や法人企業統計など需要側の統計データを組み合わせて最終的なGDPを算出します。しかし中国のGDP統計は基本的に供給側のみで決まりますから、GDPの三面等価の原則で考えると、生産面でのGDPしか存在しないことになります。このため中国のGDPにおける支出面の数字は生産面のデータから推測した数字が用いられます。

加えて中国の統計は基本的にフローが中心となっており、ストック面でのデータがありません。このためストックの数値を用いる場合には、やはりフローからの推計を行う必要があります（本書のシミュレーションで用いたストック値もフローからの推計です）。

このため先進各国のＧＤＰと比較して中国のＧＤＰの精度が低いのは間違いありません。しかしながら、中国のＧＤＰが現実と大幅に乖離している可能性は低いでしょう。その理由は、ＧＤＰを構成する項目の中には、理屈上、どうしても誤魔化せないものがあることや、他の指標との整合性が必要になるものが存在しているからです。

輸出や輸入はＧＤＰに大きな影響を与える重要項目ですが、輸出入というのは相手国が存在しますから、中国が虚偽の数字を発表することはできません。例えば中国が米国に輸出した金額と、米国が中国から輸入した金額は原則として一致するはずなので、中国政府が虚偽の数字を出せばすぐに分かってしまいます。実際、中国の輸出入の数字と日本や米国など他国の対中国輸出入の数字はほぼ一致しています。

輸出入の数字をいじれないと、ＧＤＰ全体を改ざんするのも難しくなりますが、国内の消費については、まだ数字を改ざんできる余地が残されています。しかしながら、これについても大幅な数値の変更は不可能と考えた方がよいでしょう。というのも、鉄道や飛行機など輸送機関の動きと消費活動はほぼ比例しているからです。

航空機や船舶の発着、鉄道のダイヤはすべて公開されており、虚偽のデータを出すことはできません。誰も乗っていないカラの船舶や飛行機でも飛ばさない限り、輸送関係のデータからGDPの数字がおかしいことは発覚してしまいます。

マクロ経済の統計については、米国の精度がもっとも高く、ついで欧州、そして日本という順番になっています。中国は日本の次という位置づけであり、精度は低いものの、実態を反映していないとまではいえません。したがって中国から出てくる各種統計も、ある程度までは信用しても大丈夫でしょう。むしろ問題なのは、「中国の統計は信用できない」と一刀両断にしてしまい、事実から目を背けることだと筆者は考えます。

第2章

「内需の国」中国の破壊的影響力

第1章では、中国経済の成長が続き、2030年には米中の経済規模が逆転、中国が世界最大の経済大国になると予想しました。一方で中国の1人あたりのGDPは、先進国と新興国の境界線でもある1万ドルを突破しており、これによって中国の成長が鈍化する可能性も高まっています。

中国が豊かになり、成長率が鈍化することは、中国の肥大化が抑制されるという点では日本にとって好都合ですが、購買力を通じた世界に対する現実的な影響力という点では、むしろそれが強化されることを意味しています。

第2章では、中国が豊かな内需主導型経済にシフトしつつある現状について分析していきます。

日本から爆買いが消える

中国は新型コロナウイルスの封じ込めに成功したと宣言しており、実際、国内の消費は急回復しています。中国人はこれまで海外に出かけては大量に商品を購入する、いわゆる「爆買い」を繰り返してきましたが、2020年以降はコロナ危機で海外旅行もままならない状況です。旺盛な中国人の消費意欲は国内のネット通販に向かっており、中国国内のネット通販ビジネスはこれまでにない盛り上がりを見せています。

中国では毎年11月11日は「独身の日（光棍節《こうこんせつ》）」と呼ばれ、ネット通販各社が大々的なセールを行うことで知られています。ネット通販が社会に普及したのはここ10年のことですから歴史はまだ浅いですが、感覚的には米国における感謝祭（Thanksgiving Day）セールに似たイベントと考えてよいでしょう。

米国の家庭では、感謝祭の日に家族揃って食卓を囲み、七面鳥とアップルパイを食べるのが習わしとなっています。翌日には小売店が大セールを行い、皆がこぞって買い物に出かけるというのがいつもの光景です。

開店と同時にお店に入らないと数量限定の特売品を買えませんから、中にはアップルパイもそこそこに、お店に向かう人もいて、深夜から行列ができることもしばしばです。買い物を中心に伝統行事が回る米国の感謝祭は、まさに「消費大国アメリカ」を象徴する光景といってよいでしょう。

ところが、近年の中国経済の驚異的な発達によって、独身の日のセールは、米国の感謝祭に匹敵する販促キャンペーンとして全世界に知られるようになっているのです。

中国における独身の日は、1（シングル）という数字が続くことから、恋人がいない若者たちによる自虐的ジョークをきっかけにスタートしたといわれますが、ネット通販大手のアリババグループ（阿里巴巴集団）などが、米国の感謝祭を参考に大型の販促活動を行ったことで、中国最大のセールとして定着しました。

米国のように家族と食卓を囲む伝統行事が買い物イベントに転じたのではなく、独身の日がセールになることの背景には、中国では長く一人っ子政策が続き、急激に核家族化が進んできたという経緯があります。独身の若者とネットの相性は抜群ですから、独身の日セールの売上高は毎年、うなぎ登りとなっていたのですが、２０２０年は例年と比較して、さらに規模が大きくなりました。ネット通販の利用者が拡大したことも影響していますが、最大の理由は全世界に拡大したコロナ危機です。

よく知られているように中国人は買い物が大好きで、世界各国に旅行しては買い物という形で大金を落としてきました。コロナ危機が発生する前は、おびただしい数の中国人観光客が日本を訪れていましたが、彼等は1人あたり平均約20万円の支出を行っており、このうち半分が買い物となっています。旅行に費やすお金の中で買い物が大半を占めるというのは中国人（あるいは中華系の人々）に特徴的な現象であり、日本の小売店は中国人観光客から大きな収益を得ていました。

楽天2年分を10日で売るアリババ

ところが、この状況を一気に変えたのが2020年に本格化したコロナ危機です。コロナ危機をきっかけに各国が渡航制限を実施し、航空会社が運休を余儀なくされたことから、海外旅行は壊滅的な打撃を受けました。中国人観光客で溢れていた日本の観光地も今では日本人の姿しか目にしません。

一方で中国は、いち早くコロナの感染を収束させることに成功したので、国内の経済活動はほぼ通常のペースに戻っています。当然のことながら旺盛な消費意欲も復活したわけですが、世界では渡航制限が続いており、中国人は海外に行って大好きな買い物をすることができません。多くの中国人は買い物ができないことにストレスを感じており、その矛先は中国国内のネット通販に向かっています。

今回の独身の日は、こうしたタイミングと重なったことから、例年にはない記録的な売り上げとなりました。

同社におけるセール期間中の商品取扱高は何と8兆円に迫る状況となり、昨年の2倍近

独身の日のイベント
出所：https://www.alibaba.co.jp/news/2020/11/gmv7ecgmv.html

くに達しました。ちなみに日本のネット通販大手「楽天」の年間取扱高は約４兆円ですから、アリババ１社が約10日間セールを行っただけで、楽天の年間取扱高をはるかに超える計算になります。上の写真は同社が運営する国内最大のネット通販サイト「天猫」における独身の日の販促イベントの様子です。

　今回のセールでは、アクセスが殺到することが事前に予想されていましたから、アリババは１日だけで注文を処理するのは不可能と判断し、先行セールを開催して分散化を図りました。これによって、大きなシステム・トラブルもなくセールを乗り切ったそうです。

　アリババは中国を代表するネット企業ですが、米国のアマゾンに匹敵する物流システムを構築しています。アリババで商品を売りたい企業は、商品を指定の配送先に送るだけでよく、倉庫の保管や配送などの業務はアリババが代行してくれます。このサービスは、海外企業も利用できますから、通関などの面倒な手続きもアリババに一任できます。

実は、日本の小規模事業者の中からも、アリババのインフラをフル活用して、中国で積極的に商品を販売するところが出てきており、中国はすでに世界における一大消費市場となりつつあるのが現実です。

中国のAIスーパーの売上は日本の実店舗の2割増

中国における消費市場の急成長は、こうしたキャンペーンだけでなく日常的なサービスからもうかがい知ることができます。先ほど取り上げたアリババはネット企業ですが、すでにリアルな世界でもサービスを拡大しています。

同社は、AIを活用した地域密着型スーパー「盒馬鮮生（フーマー）」を展開しており、2020年9月の時点で222店舗、2600万人の日常的な利用者を抱えるまでに成長しています。アリババによる「盒馬鮮生」の成功をきっかけに、多数の競合企業が市場に参入しており、中国は次世代型スーパーの出店ラッシュとなっています。

「盒馬鮮生」は見かけ上は従来型のスーパーマーケットと何も変わりませんが、中身はまったく違っています。「盒馬鮮生」はネット企業のアリババが運営していますから、店舗内にはセルフレジが設置してあり、利用者はＱＲコードなどでキャッシュレス決済を行っています。棚に陳列している商品にアプリの入ったスマホを近づけると、産地や流通経路、食品安全検査の過程など、消費者が欲しい情報が写真付きで表示されます。

しかしながら、こうした仕組みはすでに先進諸外国でも導入されており、特段、珍しい光景とはいえないでしょう。ちょっと前までは新興国だった中国においてこうしたサービスが登場しているのは特筆すべきことかもしれませんが、サービス内容自体はそれほど驚くようなものではありません。

「盒馬鮮生」が世界各国から注目されているのは、表面的なＩＴサービスではなく、店舗の運営そのものに関する根本的な仕組みの違いです。

日本でもすでにいくつものネットスーパーが立ち上がっていますが、ほとんどの店舗は、リアル店舗がネット通販にも対応するという流れでサービスが展開されています。ところが「盒馬鮮生」はこれとはまったく様子が異なります。

同店は、米国のアマゾンと同様、最初からＡＩをベースにしたネット通販インフラとし

AIスーパー「盒馬鮮生」の店内の様子
出所：https://jp.alibabanews.com/freshippo_video/をもとに作成

て設計されており、ＩＴをフル活用することで、通販に加えてリアル店舗も運営していると考えた方が現実に即しています。

同店の店舗は、倉庫と配送拠点を兼ねたものであり、来店してセルフレジで決済を済ませる利用者と、ネット通販を使ってスーパーの商品を購入する利用者に大きな違いはありません。原則として各店舗は、3キロメートル圏内であればアプリを使って注文後、30分以内に配送するという即時配送体制を確立しています。つまり同店の店舗は、来店した顧客に商品を販売する場所というよりも、ＩＴ化された巨大倉庫であり、配送業務のついでに店内販売も行っていると考えた方が分かりやすいかもしれません。

上の写真は盒馬鮮生の店内の様子ですが、天井にはレールが張り巡らされており、ネットで注文された商品は袋詰めにされた後、上部のレールを通って配達員が待機するエリアに運ばれ、そこから各家庭に向かって配達員が出発していきます。

ネットによる注文であれ、店舗での買い物であれ、すべてのデータがＡＩ上で処理されますから、商品の売れ行きの動向を正確に予測することが可能となっており、生鮮食料品は翌日まで売り越さないという精緻なオペレーションを確立しています。精肉のパッケージには「不売隔夜」（当日売り切り）というシールが貼られており、これが顧客の安心感をさらに高めているそうです。

こうした取り組みによって「盒馬鮮生」の単位面積あたりの売上高は90万円近くに達しています。日本のスーパーであるヨークベニマルの単位面積あたりの売上高は約72万円ですから、中国の所得水準を考えた場合、これは驚異的な数字といってよいでしょう。この販売力はＡＩを駆使した結果ではありますが、中国では今後、こうしたハイテクな店舗が次々と登場してきます。中国の消費パワーがさらに拡大するのは間違いないでしょう。

中国国内の消費市場が相当な規模になっていることは、視覚的にも理解することができます。

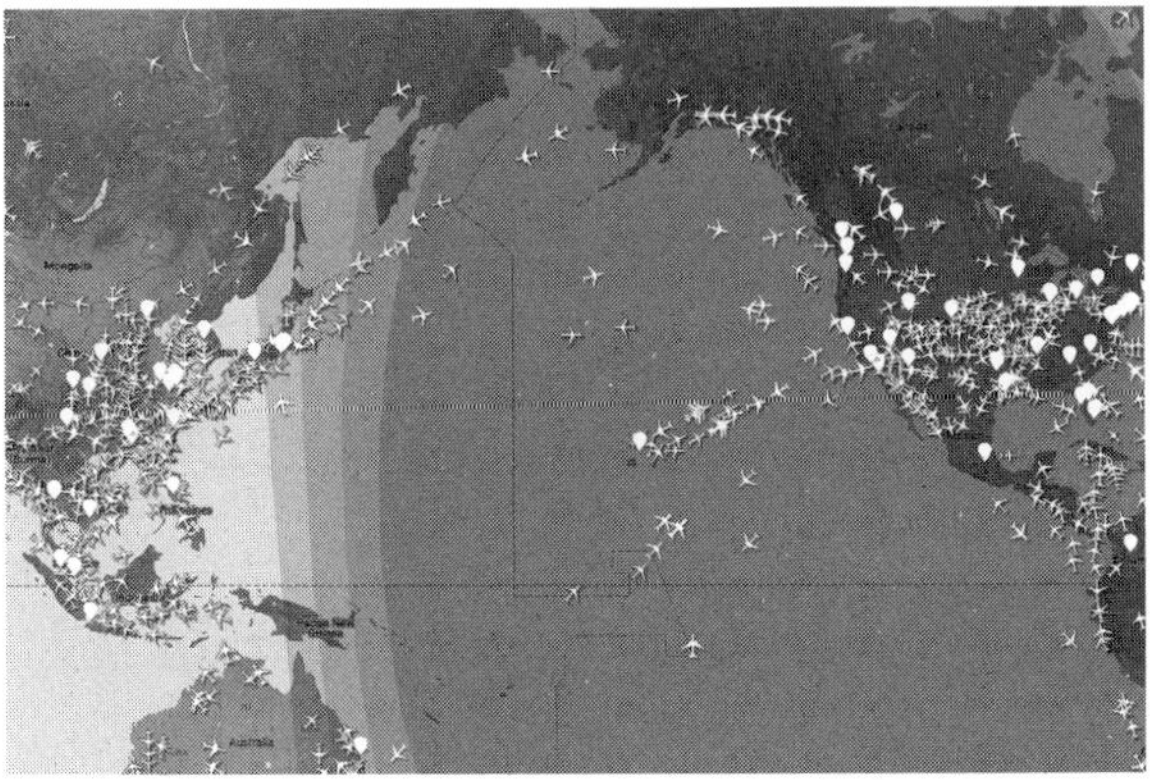

「Flightradar24」の画面
出所：https://www.flightradar24.com/

基本的に消費市場が活発になると、人やモノの移動が多くなり、その結果として、航空機や鉄道、自動車の動きも活発になります。こうした輸送機関の稼働状況は各種統計から知ることができますが、もっと手っ取り早く、かつビジュアルに知る方法があります。

世界各国の航空機の運航状況を表示するフライトレーダーという有名なサイトがありますが（上の図参照）、このサイトを見ると、中国の消費活動が活発であることは一目瞭然です。

世界最大の経済大国である米国では、毎日、活発な消費活動が行われていますが、それに伴って国内ではおびただしい数の航空機が飛び交っています。一方、中国に目を転じると、やはり米国に匹敵する数の飛行機が中国上空を飛んでいることが分かります。

航空機と同様に、船舶の稼働状況を示すサイトもありますが、こちらの画面を見ても、やはり中国沿岸と黄河および揚子江沿いには無数の船舶が行き来しています。

現時点で中国の消費経済はここまで進んでいますから、米国の規模を超える２０３０年には、さらに活発な消費活動が行われていることでしょう。

中国の成長鈍化は先進国化の証

ここまでは具体例を使って中国の消費経済について解説してきましたが、もう少し経済学的に突っ込んで分析してみたいと思います。

中国のＧＤＰ（２０１８年時点）における支出面の構成比率は、個人消費38・７％、設備投資42・３％、政府支出14・７％、純輸出（輸出から輸入を差し引いた値）０・９％という状況でした（左ページグラフ参照）。

ＧＤＰにおける支出項目が設備投資に大きく偏っているのが特徴的ですが、これは新興国が製造業を中心に経済成長していく過程ではよく見られる形態です。

純輸出の数字は０・９％と小さいように見えますが、純輸出というのは、輸出から輸入

各国のGDP構成比率（支出面）

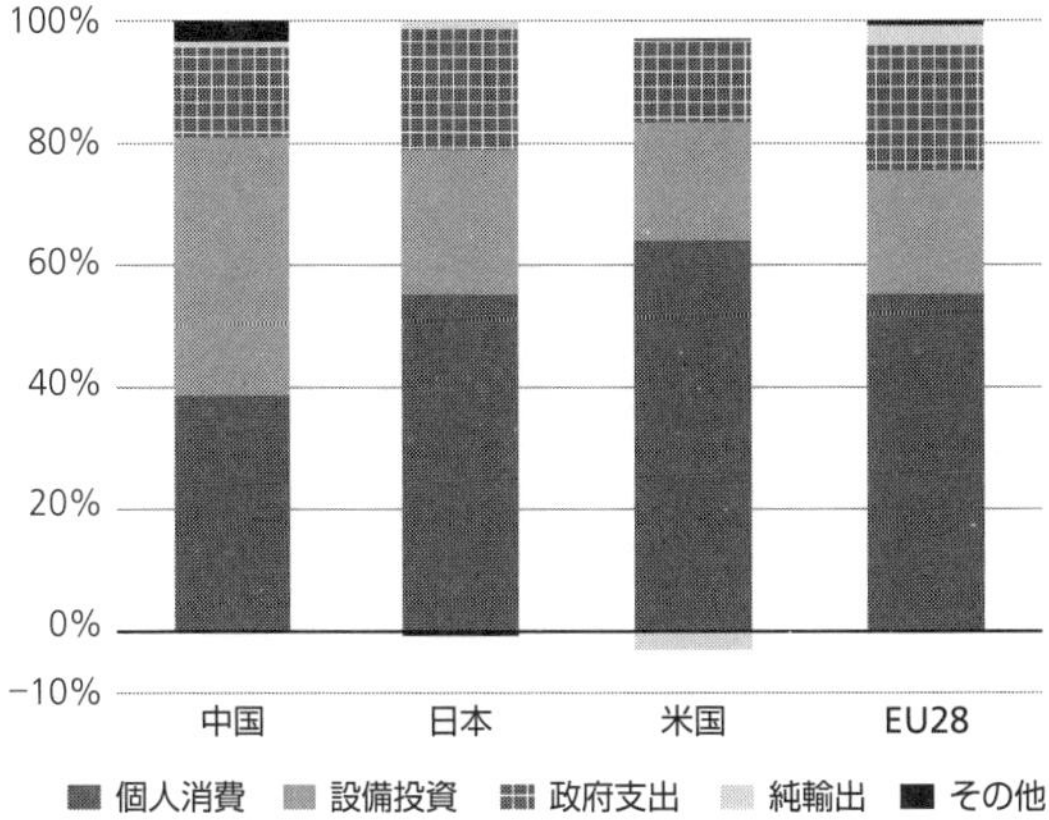

出所：OECDをもとに筆者作成

を差し引いた数値です。工業製品を輸出するためには、原材料や部品を輸入する必要がありますから、輸出が多いと必然的に輸入も増えることになり、差し引きの金額は小さくなります。しかし背後には巨額の輸出が存在し、その輸出を支えるための設備投資が経済を牽引しているのです。製造業立国というのは、輸出を行うための国内向け設備投資で経済を回す仕組みと考えてよいでしょう。

世の中には、輸出立国というのは輸出で儲けたお金で経済を回す仕組みと捉えている人がいますが、それは経済学的に見ると正しい解釈とはいえません。個別の企業には利益が「増えた」あるいは「減った」という概念がありますが、国全体の経済では利益という概念は存在しません。どれだけのお金を回すことができたのかでGDPが決まりますから、貿易の「黒字額」が経済を支えているわけではないのです。

輸出があるということは、その国の企業が国内需要以上に製品を生産しているということを意味しており、輸入した国は生産能力以上の需要を抱えているので、外国から製品を輸入したに過ぎません。輸出立国が経済成長する原動力は、あくまでも生産設備に対する積極的な設備投資です。

一方、超大国である米国のGDPの構成比率は中国とはまるで違っています。米国のGDPにおける個人消費の比率は68%と7割近くに達しており、経済のほとんどを個人消費で回しています。当然のことながら設備投資も、国内の物流網やショッピングモールなど個人消費に関連したものが多いという特徴があります。米国はまさに個人消費の国であり、個人消費そのものと、個人消費を円滑にするための設備投資で経済を成り立たせていると解釈してよいでしょう。

米国は国内の旺盛な需要に対応するため、年間約3・1兆ドルもの輸入（サービス含む）を行っており、このうち中国からの輸入が占める割合は一時18%近くに達していました。米国は国内消費者の需要を満たすべく中国から大量の製品を購入し、中国は米国に大量の製品を提供するという関係性が見て取れます。

日本のＧＤＰにおける個人消費の比率は55・６％と米国ほどではありませんが、中国よりははるかに高い水準になっています。日本のＧＤＰ構成比率はＥＵ全体（28カ国）とよく似ていますから、日本は米国ほどではないにせよ、欧州に近いレベルの消費立国になっていることがお分かりいただけると思います。

ちなみに日本がまだ新興国だった昭和時代における設備投資の比率はかなり高く、１９７０年には35％を突破していました。現在の中国よりは低いですが、やはり製造業の輸出とそれに伴う設備投資で経済を回していたことが分かります。

一般的に、経済成長を実現して社会が豊かになってくると、製造業中心の経済構造から消費中心の経済構造にシフトすることが知られています。過去20年は、中国が世界の工場として多くの工業製品を輸出していましたが、その前の時代に今の中国の役割を果たしていたのは日本でした。

米国もかつては突出した工業国でしたし、時代を遡れば米国という新興国が登場する以前は、英国が世界最大の工業国だった時代が長く続きます。さらに遡ると、英国の前はオランダが同じ役割を果たしていました。近年は中国が日本製品を大量に模倣していることが問題視されていますが、実は、先行する工業国の製品を模倣する（パクる）というのは、モノ作りの世界においては王道ともいえる戦略です。

英国は高い品質を持つオランダの工業製品をコピーし、安価で粗悪な製品を大量に製造することで工業国の地位を築き上げました。当初、英国製品は「安かろう悪かろう」の代名詞でしたが、やがてオランダを追い越し、高い品質の工業製品を提供できる世界屈指の工業国に成長しています。

戦後日本のモノ作りもやはり模倣から始まっています。

トヨタは戦後、米国車を購入して、徹底的に模倣するところから本格的なクルマ作りをスタートさせました。1950年代に米国に輸出したトヨタ車は、ハイウェイ入り口の坂を上れず米国人の失笑を買いましたが、今の時代に日本車の性能や品質について疑問視する人は誰もいません。

粗悪な工業製品の大量生産からスタートし、やがて高度な技術を持つ先進工業国に成長するというのは、いつの時代においても普遍的な法則と考えてよいでしょう。

加えていうと、技術で頂点に立った工業国が、ほどなくして新しい新興国に追い抜かされるというのも、やはり普遍的な法則と考えてよさそうです。一方で、工業生産力で新興国に追い抜かされた国は、成熟した消費国にシフトすることで、引き続き豊かな生活を享受できています（アルゼンチンのように先進国の座から転落して、復活できなかった国も存在しますが、多くは先進国の地位を維持しています）。

一連の流れを考えると、今の中国は、かつてのオランダ、英国、米国、日本とまったく同じ道を辿っていることが分かります。

逆にいえば、東南アジアを中心に工業国が次々と育っていますから、近い将来、中国は製造業大国の座を他国に譲り、日本や欧州、そして米国と同様、消費主導の成熟国家にシフトする可能性が高いとの推測が成り立ちます。

日本は中国の出入り業者に成り下がる

こうした歴史的な産業構造シフトは、経済学の世界では、国際収支発展段階説というひとつの仮説として確立しています。

この説は、経済発展に伴い、国の経常収支がどのように変化するのかについて段階的に考察したもので、英国の経済学者クローサーらが提唱しました。経常収支は貯蓄投資バラ

国際収支発展段階説

	段階	貿易収支	投資収益	経常収支	対外純資産
1	未成熟な債務国	−	−	−	−
2	成熟した債務国	＋	−−	−	−
3	債務返済国	＋＋	−	＋	＋
4	未成熟な債権国	＋	＋	＋＋	＋＋
5	成熟した債権国	−	＋＋	＋	＋
6	債権取崩し国	−−	＋	−	−

出所：筆者作成

ンス（ISバランス）と密接に関係していますから、国内の資本蓄積がどのように変化するのかを示した理論と言い換えることもできるでしょう。

この発展段階説は、あくまでもひとつの仮説であり、理論的に厳密なものではありません。しかしながら、新興国から先進国に成長し、やがては成熟経済を形成するという一連のプロセスについてもっとも端的に説明している理論であり、今でもこの仮説から多くの示唆を得ることができます。

発展段階説は、「1・未成熟な債務国」「2・成熟した債務国」「3・債務返済国」「4・未成熟な債権国」「5・成熟した債権国」「6・債権取崩し国」という6つのフェーズで構成されています（上の図参照）。

多くの途上国は、「1・未成熟な債務国」として経済成長をスタートさせます。この段階では工業化が十分に進んでいないため、輸入に頼ることになり、貿易収支は赤字となります。その代金を確保するため外国から資金を債務という形で調達しますから、対外資産はマイナスとなり、利払いが発生するので投資収益（所得収支）も赤字となります。

やがて、工業製品の生産が拡大してくると貿易収支が黒字に転換し、外貨を獲得できるようになりますが、対外債務の利払いがあるため経常収支は依然として赤字の状態が続きます。この段階を「２・成熟した債務国」と呼びます。

次の段階は「３・債務返済国」です。

工業製品の輸出がさらに拡大して貿易黒字が増えてくると、利払いの赤字を貿易黒字が上回り経常収支が黒字に転じます。経常収支の黒字化で余剰となった資金が海外投資に向かいますから、対外資産も増加が始まります。

経常黒字がさらに拡大し、海外からの利子や配当も増えてくると、貿易収支と投資収益の両方が黒字になります。当然のことながら対外資産の額も順調に増加していきますが、これが「４・未成熟な債権国」です。

この段階になると社会は豊かになり、国民はまさに先進国らしい生活を享受できるようになりますが、このあたりから経済構造に根本的な変化が生じ始めます。製造業を中心とした輸出主導型経済から個人消費を中心とした消費主導型経済へのシフトです。

国民の所得が増え、社会が豊かになったことで労働コストの上昇が始まり、一部の製品については国内で生産するよりも輸入した方が採算が合いやすくなります。この結果、輸入が増加し、やがては貿易収支が赤字に転じます。しかしながら、この段階では海外からの利子配当といった投資収益が維持されていますから、経常収支全体ではまだ黒字が続きます。これが「５・成熟した債権国」です。

発展段階説の最終フェーズが「６・債権取崩し国」です。

貿易赤字が拡大し、所得収支の黒字を上回るようになると、経常収支が赤字に転じます。お金が海外に流出するので、対外純資産が減少していきます。米国のように世界でもっとも豊かな成熟国家はこのような状況になります。

この発展段階説を日本に当てはめると、現在は、「４・未成熟な債権国」から「５・成熟した債権国」に進みつつある状況と考えられます。

平成初期の日本は、圧倒的な輸出競争力によって多額の貿易黒字を確保しており、貿易黒字で獲得した外貨は運用に回されました。蓄積した外貨の運用から得られる利子や配当の金額が増加し、２００５年にはとうとう、投資収益が貿易黒字を上回りました。つまり２００５年以降の日本は輸出よりも投資で稼ぐ国に変貌したことになります。

　これを先ほどの段階説に当てはめると、貿易収支の黒字と投資収益の黒字が計上され、対外資産が大きく増えているという状況ですから、まさに「４・未成熟な債権国」の要件を満たしていると考えてよいでしょう。

　しかし、日本の製造業の輸出競争力は年々低下が進んでおり、２０１０年以降、貿易黒字の額は目に見えて減少してきました。現状ではギリギリ黒字を維持していますが、近い将来、日本の経常収支が赤字に転落する可能性は高いというのが多くの専門家の一致した見方です。

　マクロ経済学の貯蓄投資バランス（ＩＳバランス）論では、国内の貯蓄は、設備投資と財政赤字、そして貿易黒字を足し合わせたものと一致するとされています。

　ここではページ数の都合上、ＩＳバランス論の詳細については解説しませんが、とりあえず、貯蓄＝設備投資＋財政赤字＋貿易黒字と覚えておいてください（ＩＳバランス論はマクロ経済学の基本的な教科書には必ず載っていますから、深く理解したい方はそちらをご覧ください）。日本は急速に高齢化が進んでいることに加え、年金財政が悪化していることから、高齢者を中心に貯蓄の取崩しが進む可能性が高まっています。同時に日本政府の財政赤字も減る要因が見当たりませんから、財政赤字についても、拡大することはあっても縮小することはないでしょう。

つまり、貯蓄が減少し、財政赤字が増えるという状況ですから、先ほどの貯蓄投資バランスの理屈上、設備投資が減るか、貿易黒字が減らないと恒等式が成立しなくなります。企業の設備投資が急減することは基本的にあり得ませんから、結果的に貯蓄の減少は貿易黒字の減少（あるいは貿易赤字への転落）という形で調整される可能性が高いと考えられます。これを先ほどの段階説に当てはめると、貿易収支が赤字で、投資収益は黒字ですから、５の成熟した債権国と判断できます。そして貿易赤字がさらに大きくなれば、経常収支が赤字となり、６の債権取崩し国に向かうことになるでしょう。

工業国から消費国へ、あるいは未成熟な債権国から成熟した債権国へという流れは、中国にも当てはまる可能性が高いと考えられます。その理由は、中国が辿ってきた経済成長の道のりが、戦後の日本経済とよく似ているからです。

中国は日本と同様、圧倒的な工業生産力で貿易黒字の蓄積を進めてきました。今でも中国の貿易収支は巨額の黒字ですが、投資収益はマイナスの状態が続いています。この理由は、中国が貿易黒字によって獲得した外貨を外国で運用して得られる収益よりも、中国が外国から受け入れた資本の対価として支払う利子や配当の方が多くなっているからです。

貿易黒字を計上しつつも、諸外国から資金調達する必要があるという点においては、中国は3の債務返済国のフェーズであると考えることが可能でしょう。

つまり中国は日本の後を追いかけているものの、1段階もしくは2段階、遅れているという状況であることが分かります。一方で中国社会は急速に豊かになっていますから、近い将来、日本と同様、4のフェーズに入ってくる可能性が高いと考えられます。

以上を総合すると、中国は世界最大の経済大国になる2030年頃をメドに、製造業中心の輸出主導型経済から、消費主導型経済へのシフトが進み、中国の輸入品目が大きく変化してくることが予想されるのです。

中国が世界最強の交渉力を持つことになる

仮に中国経済が米国と同レベルの消費主導型経済に移行した場合、中国は世界最大のお客さんとなり、各国に対する交渉力は飛躍的に高まるでしょう。

次ページの図は中国、日本、米国の輸入品目（サービスは含まない）の構成比率を比較

各国の輸入品目の構成比率（2018年）

（100万ドル）

分類	中国	日本	米国
素材・加工品・部品	1,375,919	404,631	1,304,660
最終製品 （最終製品の比率）	375,183 （21.4%）	206,072 （33.7%）	1,087,096 （45.5%）
総額	1,751,102	610,703	2,391,756

出所：国連、財務省、米商務省、中国海関総署などから筆者作成

したものです。現在、中国が輸入している製品のうち最終製品（完成品）の割合は21・4％しかありません。残りの78・6％は素材や部品など製造業が必要とする品目であり、中国の輸入品のうち約8割はモノ作りのためであることが分かります。これらの素材や部品を使って組み立てられた製品は中国国内で消費されるケースもありますが、多くは米国などに再輸出されています。

米国は輸入の総額も大きいですが、その中で最終製品が占める割合は50％に迫る状況です。モノというのは、最後の最後には最終製品として消費されますから、世界で作られた製品の多くは、各国を経由して米国に向かっているのです。

日本の機械メーカーや部品メーカーはその典型ですが、各社は中国に対して多くの製品を輸出しているものの、それは中国人が消費するためのものではありません。

中国に輸出された部品は最終製品として米国に再輸出されますから、日本メーカーは中国という国を挟んで、実は米国市場を見ておく必要があります。日本メーカーが輸出する工作機械や半導体製造装置なども同様です。これらは米国に再輸出されるわけではありませんが、基本的に米国向けの製品を製造するために用いられますから、結局は同じことです。

実際、米国の景気がスローダウンすると、米国向けの輸出が減るのはもちろんのこと、中国から米国への輸出も減りますから、日本の対中輸出も打撃を受けてしまうのです。多くの専門家が、「米国市場の動向が……」「ダウ平均株価が……」と米国のことばかり口にするのはこうした理由からです。この話は日本だけではなく、各国とも似たような状況であり、最後の最後は米国がお客さんなのです。

一方、資本財や消費財など消費者が購入する最終製品の比率は約2割ですから、中国は今のところモノの最終消費地ではありません。ところが中国が近い将来、米国のような消費主導型経済にシフトするということになると話は変わってきます。

日本の輸入に占める最終製品の比率は中国よりも高く、33・7%となっています。米国ほどではありませんが、日本も徐々に消費主導型経済に舵を切っていますので、最終製品の輸入比率が高まっています。

日本国内で製造されたスマホやAV機器を所有している人はもはや少数派でしょうから、成熟社会になると最終製品の輸入が増えることは実感としても理解できるでしょう。

中国は近い将来、輸入の3割程度を最終製品が占めることになると考えられますから、第1章でシミュレーションした2030年のGDP予想にこの比率を当てはめてみると、中国は年間、何と150兆円もの最終製品を諸外国から輸入する計算になります。

米国が強大な交渉力を維持している理由は、世界でもっとも多くの最終製品を購入しているからです。いくら輸入が多くても、それを加工して再輸出したり、輸出製品を製造する目的でその製品を輸入したりしている国は、結局、誰かに最終製品を売らなければ経済が成り立ちません。一方、米国は最終製品を買う一方ですから、すべての国にとって「お客様」です。中国が米国以上に最終製品を輸入するようになるということは、中国は米国を超える「お客様」になるということを意味しており、これは、国際的なモノやお金の流れを大きく変えるだけでなく、最終的には中国に強大な交渉力をもたらす結果となるのです。

日本はもはやモノづくり大国ではない

製造業立国から消費立国へという流れは、自然発生的に起こるものですが、政府がどのような方向性で経済の舵取りを行うのかによってスピードは大きく変わります。

中国は自然な流れとして消費主導型経済へのシフトが進んでいることに加え、政府がその流れに沿った経済政策を強力に推進しています。これがうまく機能すればという前提条件付きではありますが、消費国家へのシフトは急ピッチで進む可能性があるのです。

中国共産党は２０２０年10月、党の重要会議である中央委員会第５回全体会議（五中全会）を開催し、新５カ年計画において、「双循環を通じて経済の拡大を図る」という方針を決定しました。

双循環というのは聞き慣れない言葉だと思いますが、これは中国独特の経済用語で、輸出を中心とした外需（外循環）と国内消費を中心した内需（内循環）の両方を組み合わせるという意味です。つまり輸出主導型経済のことを外循環と呼び、消費主導型経済のことを内循環と呼んでいるわけです。

本書でもたびたび解説してきたように、中国は輸出主導型経済で成長を実現してきました。中国は基本的に計画経済ですから、多くの国営企業が計画的に事業を行っており、当然、そこには政治的な利権も絡んできます。したがって経済の基本構造を変えることは、党内の権力バランスの変化にもつながるため、かなりデリケートな問題ともいえます。

今回の決定は、「双循環」ですから、表面上は内需と外需の両方で経済を回すと解釈できますが、これは輸出産業に配慮した表現であり、事実上、内需主導経済へのシフトであると考えて間違いありません。

この会議では、中国の１人あたりＧＤＰを２０３５年までに、中等先進国並みに引き上げる方針も明記されました。具体的な数字は明示されませんでしたが、２万ドルから３万ドル程度の水準を想定していると考えられます。中国政府も、本書で指摘したような経済構造の転換を目指していることが分かります。

大きな枠組みとして、中国が消費主導型経済に向かっていることは明らかですが、スムーズに経済をシフトさせるのは容易なことではありません。それにもかかわらず、中国共産党、あるいは中国政府がここまで明確に内需主導型経済シフトを打ち出すことができるのは、日本が辿ってきた経緯をよく研究しているからです。

日本は今でこそ、事実上の消費主導型経済に移行していますが、国内の政策はあまり一貫性があるとはいえませんでした。

今でも、一部の論者は「日本は製造業大国である」と主張しており、経済政策も輸出振興策の方が多いというのが現実です。菅政権はデジタル化や脱炭素、地域金融機関の再編など国内経済に力点を置きましたが、安倍政権の時代は、原発輸出を国策に指定するなど輸出主導型経済であることを前提とした政策が目立ちました。インバウンド戦略も外国人による消費をアテにするという意味で、形を変えた輸出ですから、輸出が経済を支えるという感覚は根強く残っています。

ところが現実の日本の輸出はドイツの約半分、中国の約３分の１しかなく、もはや日本は輸出大国ではありません。現実には消費国へのシフトが進んでいるにもかかわらず、そうした認識が十分に浸透しているとはいえず、現状と認識にギャップが生じているという状況なのです。

では、日本政府や産業界は、消費経済へのシフトについて本当に認識が欠如していたのかというと、そうではありません。なぜなら、日本政府はかつて、今の中国とまったく同じような内需拡大政策を公式に表明していたからです。

日本の失われた30年から学ぶ中国

１９８６年、中曽根康弘首相は私的諮問機関を通じて、内需拡大策を基本とする経済政策の基本方針を打ち出しました。この報告書は諮問機関の座長だった前川春雄元日銀総裁の名前を取って「前川レポート」と呼ばれています。

前川レポートでは、過剰な貿易黒字が続く日本の国際収支を是正し、バランスの取れた成長が必要であるとの観点から、内需拡大策や市場開放が必要と結論づけており、以後の日本の経済政策の根幹となりました。内需主導型経済への転換は、日本企業の怒濤の輸出攻勢に苦しむ米国からの強い要請という側面もありましたが、産業構造の転換という大きな流れを反映したものでもあったのです。

日本政府は１９８０年代に、内需経済シフトについて明確に宣言していたわけですが、現実にはあまりうまくいきませんでした。

産業構造を輸出中心から内需中心に転換するためには、どうしても企業のビジネスモデルを変革しなければなりません。そのためには、転職など雇用の流動化が必須となりますが、大企業を中心に日本社会は雇用の流動化に消極的で、産業構造の転換はなかなか進みませんでした。１９９０年代に入ると全世界的にＩＴ化が進みましたが、日本企業は従来型のハードウェアにこだわり、ソフトウェア産業へのシフトにも消極的でした。産業のIT化は内需拡大に大きな役割を果たしますが、雇用制度に加えて技術という面でも、内需拡大とは逆方向に進んでしまったのです。

バブル崩壊以降の日本経済は、失われた30年などと表現されていますが、そうなってしまった最大の原因は、先進国としては避けては通れない、内需拡大への道を自ら閉ざしてしまったことにあります。

中国政府は、日本の内需拡大策とバブル崩壊、そして失われた30年というこれまでの道のりをつぶさに検証しており、消費経済へのシフトは簡単なことではないと分かっています。米国もかつては巨大な製造業を抱えていたものの、日本メーカーの輸出攻勢によって多くが倒産の憂き目に遭いました。今となっては、米国は豊かな消費経済を謳歌していますが、1980年代当時は、製造業の衰退に伴う失業者の増大は大きな社会問題であり、簡単に今の体制にシフトできたわけではありません。

筆者は、今の中国は日本の1970年代から80年代にかけての状況に近いと考えています。これは経済的な指標から導き出した結論ですが、消費者の振る舞いからも、それをうかがい知ることができます。

近年、中国人は世界各国で「爆買い」を行ってきましたが、一部の中国人の振る舞いは決して上品とはいえず、一部の人は眉をひそめている状況でした。傍若無人な振る舞いをする中国人が存在するのは事実ですが、実は、この話はかつての日本人にもぴったりと当てはまります。

１９８０年代当時の日本人は今の中国人と同じように、世界各国に大挙して押しかけ、猛烈な勢いでショッピングをしていました。当時の新聞には、日本人観光客の振る舞いが各国で顰蹙《ひんしゅく》を買っているという記事がたくさん掲載されています。

５００人の日本人が同じホテルに一度に宿泊して現地の人を驚かせたり、ブランド店に入るなり、「一番高い服を」と注文して店員さんがあっけに取られたり、という出来事もありました。さらには某国会議員が、有名ブランド店で両手を広げ、「ここからここまで全部」と言ってスカーフを丸ごと購入した話（おそらく支援者へのお土産なのでしょう）や、ツアーで旅行に来た日本人宿泊客が、ホテルのテレビに日本の番組が映らないといって大騒ぎした話、さらには、購入した指輪の石がなくなったといって、旅行代理店に現地の店に返金させるようゴネた話など、これでもかというくらいワイルドな「武勇伝」が次々と出てきます。

しかし、この頃を境に日本社会は急速に豊かになり、海外旅行はごく当たり前のものとなりました。90年代以降は、日本人の傍若無人な振る舞いはすっかり影をひそめ、今では日本人はもっともマナーの良い観光客だと思われています。

経済成長と国民所得の関係から、中国は完全に日本の後追いをしており、今の中国は、豊かな社会に転換するちょうど端境期に位置しているのです。

日本が内需経済へのシフトを宣言したのも1980年代ですから、中国がこのタイミングで内需経済へのシフトを模索するのは歴史的な必然と考えてよいでしょう。一方で、スムーズに消費主導型経済に移行できる保証はなく、ここで舵取りを誤ると日本のように長期的な景気低迷に陥るリスクがあります。

しかしながら筆者は、中国は比較的容易に消費社会にシフトできるのではないかと考えています。その理由は中国人ビジネスパーソンの振る舞いや中国の商習慣が、消費大国である米国とよく似ているからです。

一般的に米国は契約社会といわれますが、それは米国社会のごく一面を極端に切り取ったものでしかありません。

米国人は基本的に信用ベースで動くことが多く、見ず知らずの相手でもまずは信用して取引を進める傾向が顕著です。一方で、口頭であっても最初に交わした取り決めは絶対であり、後になって条件を変えるといったケースはそれほど多くありません（少なくとも筆者の印象では、日本企業や日本人ビジネスパーソンの方が後になってお金で揉めるケースが多いです）。

また先行投資という概念がハッキリしており、何か新しいビジネスをするためには、最初に一定金額を投資しないとダメだという感覚も共有されています。契約でガチガチな社会において、経済活動が活発になることは基本的にはあり得ませんから、米国がすべて契約社会だというのは一方的なイメージと考えた方がよいでしょう。

実はこうした商習慣というのは多くの中国人ビジネスパーソン（あるいは華僑）にも当てはまります。

中国人と仕事をしたことがある人ならよく分かると思いますが、基本的に彼等は信用ベースで取引を進めていきます。お金の貸し借りについても、相手が信用できると思えば、10年後、20年後に返済という形でも問題ないことさえあります。

こうした信用ベースの商習慣は、中国では原則として割り勘という行為が存在しないことからも推察できます。中国では仕事に関係して会食する場合、代金は必ずどちらかが払い、次に会う時は相手が払うというルールが徹底しています。これも、相手に対する信用や貸し借りでビジネスが成立しているとの感覚が広く共有されているからでしょう。

米国と中国は文化がまったく異なる国であり、基本的な価値観も違っているわけですが、米国人と中国人は少なくともビジネスという点ではウマが合っているように見えます。これはとりもなおさず、中国には米国と同様、消費で経済を回す基礎的な土台が存在していることを示しています。

整理すると、中国は経済発展の法則から見て消費主導型経済にシフトする可能性が高く、中国政府もその方向性を目指しています。そして、中国人の商習慣は米国人とよく似ており、消費経済に対して相応の適応性を持っています。

私たちは、中国が想像を超えるペースで消費大国に変貌する可能性があるという現実について、よく理解しておいた方がよいでしょう。対外戦略を立案するにあたって、「そうはならないだろう」という一方的かつ楽観的な思い込みは禁物です。

第3章 中国の台頭を許したトランプ政権の大失態

米国は貿易という伝家の宝刀を抜いてしまった

中国の台頭によって、戦後の国際社会に大きな変化が到来することは、かなり前から指摘されてきた問題であり、覇権国家である米国は、どのようにすれば中国の台頭を阻止できるのか、様々な策を巡らせてきました。

外交の基本は、いつの時代においてもアメとムチです。相手がもっとも欲しがるもの、あるいは相手にとって絶対に失うことができないものを探り出し、それを材料に交渉を進めることが基本となります。

中国は共産党による独裁体制ですから、経済的に豊かになれないと国民の不満が爆発し、統治が難しくなるという根本的な欠点を抱えています。

一時期の北朝鮮や、かつてポル・ポト派が実効支配していたカンボジアの一部地域のように、国民を飢えさせてもよいというところまでいけば話は別ですが、独裁国家にとって経済成長を実現することは極めて重要です。ロシアもプーチン大統領による事実上の独裁体制が続いているのは、経済がそれなりに成長しているからです。

中国は体制を維持するため、何としても経済を活発にする必要があるわけですが、戦後の中国は基本的に工業製品の輸出で経済を回してきました。中国が豊かになるためには、米国が中国製品を大量に輸入することが必須要件であり、中国にとって米国の輸入は欠かすことができないものでした。逆にいえば、中国がもっとも恐れていたのが、米国への輸出が滞ることです。

これは戦後日本にとっても同じことがいえます。

日本の製造業は米国が大量に工業製品を輸入することで成り立ってきました。輸出主導型経済の国にとって、貿易相手国が保護主義に傾くことは何よりも恐ろしいことです。年配の読者の方であれば、昭和末期から平成にかけて日米貿易交渉が行われるたびに、高い関税が課されないか日本中がビクビクしていたことを鮮明に思い出せるでしょう。

貿易問題に加えて中国はチベット問題やウイグル問題、香港問題などを抱えています。中国にとって人権に関する話題はもっとも触れてほしくないテーマでした。

つまり、中国に対する最大の交渉材料は、貿易と人権問題の２つということになります。米国は、ニクソン元大統領が電撃的な訪中を実現した１９７２年以降、一貫して、この２つを武器に対中外交を行ってきたのです。

米国が主導する自由主義的なグローバル市場に中国を誘導し、中国が求める経済的な利益を実現する代わりに人権問題などを提起することで、中国の国際的な影響力を削ぐというのが米国の基本戦略といってよいでしょう。

輸入が外交上の重要なカードになるのであれば、輸出とセットになる通貨もカードとして活用することができます。多くの人は、モノ作りと金融は正反対のビジネスと思っており、モノ作りを実業、金融を虚業などと呼ぶことすらあります。

しかしながら第1章でも解説したように、その解釈は完全に間違っています。実はモノ作りと金融は切っても切れない関係にあり、金融市場が整備されていないと、そもそもモノ作りができないというのが現実です。

米国のように基軸通貨を持つ国は別ですが、それ以外の国が貿易を行う場合、取引は原則として外貨（今の時代はドル）がベースになります。製品を製造するためには、まずは原材料や部品を輸入する必要がありますが、そのためには外貨（ドル）を用意しなければなりません。人民元はグローバルな金融市場ではほとんど流通しておらず、商品を購入する代金として人民元を受け取ってくれる国はゼロに近いというのが現実です。

中国は米国に輸出して得た貴重なドルを有効活用する必要がありますから、中国にとってグローバルな金融市場から締め出されるのは、何よりも恐ろしいことだったと考えてよいでしょう。

太平洋戦争中の日本は極度の物資不足で生産もままならず、無残な敗北を喫しましたが、その原因のひとつは金融システムでした。

日本は当時の基軸通貨ポンドを持つ英国に加えて、新興国として強大な勢力となりつつあった米国の両方を敵に回してしまいました。日本はグローバルな金融市場から完全に締め出されており、日本円を受け取ってくれるごくわずかな国からしか物資を輸入することができません。いくら大東亜共栄圏と勇ましく叫んだところで、物資がなければ戦争継続が不可能なのは自明の理といってよいでしょう。

この点において今の中国は、日本と同様、極めて不利な状況にあり、これが米国にとって最大の交渉材料となってきました。

オバマ政権までの米国は、中国に対して「貿易」と「通貨」の２つを、ある時は「エサ」として、そしてある時は「脅し」として使い、チベットや香港など人権問題に絡める形で交渉を進めてきたのです。ところが、数十年間続いてきたこの基本戦略をすべて壊してしまったのがトランプ大統領です。

国際交渉において大事なことは、持っているカードを使い切らないことです。

特に貿易の制限や国際金融市場からの締め出しは、「伝家の宝刀」であり、抜いてしまったらそれでおしまいとなります。「抜くぞ、抜くぞ」と脅して、最後は抜かずに落としどころを見つけるのが交渉のカギとなるわけですが、自称「交渉上手」のトランプ氏は、中国との落としどころを見つけられず、結局はほぼすべての輸入品に関税をかけ、中国と貿易戦争に突入してしまいました。トランプ政権のこの行動は、結果的に中国の台頭を加速させるという皮肉な結果をもたらしています。

バイデン政権の対中交渉は難航する

トランプ政権の決断によって中国の対米輸出は大幅に減少しました。

2018年における中国の対米輸出額（サービス含まず）は約5400億ドルでしたが、2019年には4520億ドルにまで減少しています。

米国への輸出で経済を回している中国にとっては大打撃でしたが、当初、予想されていたほどには中国の経済は失速しませんでした。

中国の2017年の実質GDP成長率はプラス6・9％でしたが、2018年は6・8％、2019年は6・1％と6％台を維持し、新型コロナウイルスが猛威を振るった2

米中のGDP成長率の推移

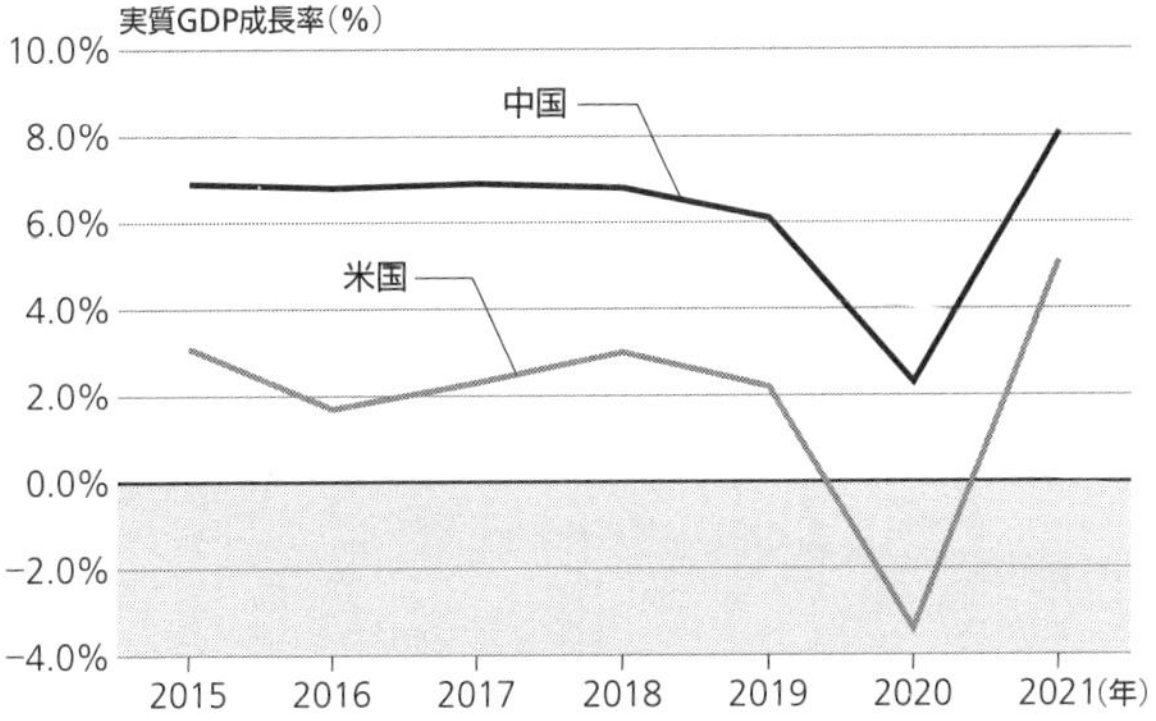

※2020年については2021年1月時点の見通し、2021年についてはIMFの予測値

出所：IMF

０２０年に至っては、他国が軒並み大幅なマイナス成長に転落しているにもかかわらず、２・３％とプラス成長を維持しました。一方、米国はコロナ危機で３・４％のマイナス成長に転落し、２０２１年はプラス転換するものの、中国との差がより拡大する結果となっています（上の図参照）。

　貿易戦争状態であるにもかかわらず、中国経済が失速しなかった理由は、やはり消費経済にあると考えるべきでしょう。米国向けの輸出が激減したことで、中国企業は膨大な数の在庫を抱えたはずですから、本来であれば経済には急ブレーキがかかります。ところが、中国の国内消費市場が拡大していることから、過剰な供給の一部は国内市場で消化できた可能性が高いと考えられます。

もうひとつの理由は東南アジアとの関係強化です。

中国はこのところ東南アジア各国に対する投資を強化しており、地域一帯に中華経済圏を構築しようとしています。最終的な中国の狙いは、東南アジア各国への支援を通じて各国の生産力を拡大させ、最終的には東南アジアを中国に対する製品の供給基地にすることです。つまり中国が強大な消費国家になることを前提に、その需要に応えることができる国を育てたいと考えているのです。今回の貿易戦争をきっかけに中国は東南アジア向けの輸出を強化しており、これも中国経済の失速回避に寄与しました。

結局のところ、トランプ政権による貿易戦争は、中国に対して致命的な影響を与えることができなかったと判断できます。

しかしながら、この話はあくまでも結果論であって、中国共産党の指導部は当初、トランプ氏が仕かけた貿易戦争に戦々恐々としていたはずです。これはまさに伝家の宝刀であり、抜かなければいつまでも効果は持続していたはずでした。ところがトランプ氏が「やらかしてしまった」ことで、関税というカードにはもはや大きな効果がないことがハッキリ分かってしまったのです。

非常に残念なことですが、中国は今回の一件で、自国の経済運営に相当な自信を持ったに違いありません。もう米国から「輸出を制限するぞ」と脅しをかけられることはないわけですから、米国（およびそれに連なる日本）に対して一切配慮することなく、自国の政策を推し進めることができます。第1章でも説明したように、このところ中国は香港弾圧を強化したり、デジタル人民元の配布をスタートしたりするなど、米国への配慮をまったく見せていませんが、その背景には関税という最大の弱点が消滅したことが大きく影響しているのです。

日本国内には、どういうわけかトランプ氏のことを、日本を中国から守ってくれる正義の味方と認識する人がたくさん存在しているのですが、それはあまりにも安易な発想といわざるを得ないでしょう。トランプ氏はアメリカ・ファーストを掲げて大統領になった人物であり、基本的に「米国の利益しか考えない」と公言していました。

トランプ氏はあくまで自国あるいは自分自身の利益のために中国と交渉したのであって、日本のためでも国際社会のためでもありません。オバマ政権までの米国なら、米国が多少、損をしても国際社会のリーダーとしての地位を維持することで、最終的に帳尻を合わせればよいという共通認識があったかもしれませんが、トランプ氏にそうした価値観はまったく存在していません。

米国はかつてモンロー主義（欧州に対する相互不干渉）を掲げ、銃で武装しつつ、世界に背を向け、引きこもっていた国です。トランプ政権時代の米国はかつてのモンロー主義の時代の米国に戻っただけであり、日本のために中国と交渉することなどあり得ないと考えるべきです。こうした基本的な考え方は、新しく大統領に就任したバイデン氏でも同じことです。

バイデン政権は、トランプ政権の方針を撤回し、米中関係を正常化しようと試みていますが、交渉が難航するのは必至です。中国にはもはや何も恐れるものはなく、米国が中国から大幅な譲歩を引き出すのは極めて難しいでしょう。一方、米国が中国に対して譲歩しすぎれば、当然、政権の支持率に影響してきますから、バイデン政権にできることは限られています。

では、今後の世界経済はどのように推移していくのでしょうか。現状の数字から将来の動きを予想してみたいと思います。

貿易戦争が東南アジアでの中華経済圏確立を後押し

一般的に、ある国からの輸入が困難になった場合、企業は別の国からの輸入に切り換えるか、国内産に切り換えるかの選択を迫られます。一方、輸出していた側は、過剰となった供給を国内市場で消化するか、新しい輸出先を開拓することになります。

米国は人件費が高いので、付加価値が低い製品については東南アジアや中南米からの輸入を検討するはずです。一方、中国企業は米国という最大の顧客を失うので、別の地域への輸出を模索することになります。欧州など先進国向けの輸出は急には増えないので、やはり東南アジアなど経済成長が著しい地域への輸出を強化した方が効率的です。

2019年における貿易統計を見ると、米国の中国からの輸入は2017年との比較で10・6％も減少しました。

一方で、中南米からの輸入は9・3％増加、シンガポールからの輸入は35・4％、ベトナムからの輸入に至っては47・5％もの大幅増加となりました。電子部品など緊急性の高い製品については東南アジアからの輸入に切り換え、その他の製品については、中南米からの輸入もしくは自国産に切り換えた様子が見て取れます。

東南アジア各国は、米中貿易戦争をきっかけに対米輸出を大幅に増やしており、この数字だけを見ると、米国と東南アジアの関係が強化され、中国と東南アジアの関係が疎遠になったように思えますが、本当にそうでしょうか。東南アジア各国は、近年、めざましい成長を実現しており、工業生産も飛躍的に伸びていますが、すぐに中国と同レベルの生産を実現できるほどの体制は構築できていません。

実は、東南アジア各国は対米輸出の金額の増加とタイミングを同じくして、中国からの輸入も大幅に拡大しています。

２０１７年から２０１９年にかけて、中国からのベトナムの輸入は28・８％の増加、タイは13・６％の増加、台湾も14・７％の増加となっています。一部の製品については、中国企業が東南アジアを経由して、米国に輸出した可能性が考えられます。同時に中国企業は東南アジアの製造拠点を拡大していますから、中国が資本参加したベトナム企業が製造した製品を米国が輸入しているというケースもあり得るでしょう。

トランプ氏はこうした状況に対して苛立ちを見せ、２０２０年12月にはベトナムのグエン・スアン・フック首相と電話会談を実施。ベトナムを経由した中国の輸出が増えているとして不満をぶちまけましたが、後の祭りです。

中国が東南アジアに資本投下した生産設備は、やがて中国の国内消費をカバーするようになるのは確実ですから、やはりトランプ氏が始めた米中貿易戦争は、米中のデカップリングとアジア地域における中華経済圏の確立を後押ししているように見えます。

そして、同じタイミングでやってきたのが、コロナ危機をきっかけとした全世界的なサプライチェーンの見直しという動きです。

コロナ危機が米中分断を加速

コロナ危機の発生前までは、1円でも安い製品を調達するため、企業が全世界にサプライチェーンを拡大するのは当たり前のことでした。安い製品があれば、たとえ地球の裏側からでも迷わず調達していたのです。ところが新型コロナウイルスの感染拡大は、こうした常識を大きく変えることになりました。

従来のサプライチェーンと、それに付随する緻密なオペレーションは、全世界のすべての地域で順調に経済活動が継続することが大前提となっています。ところが、新型コロナウイルスの感染拡大によって各地の物流網に混乱が生じ、物資の調達がままならないという事態が頻発しました。サプライチェーンが巨大であればあるほど、こうしたトラブルの影響を受けやすくなってしまいます。

例えば自動車メーカーのGM（ゼネラルモーターズ）は、自動車の生産に必要な10万点の部品を全世界の５５００カ所から調達しています。

メーカー本体に直接製品を納入する、いわゆる一次サプライヤーがどのような場所に生産拠点を構え、物流がどうなっているのか把握するのは難しくありませんが、一次サプライヤーに部品を納入する二次サプライヤー以下になると、最終製品を製造するメーカーもすべての状況を把握できていません。複雑なサプライチェーンを構築している場合、コロナ危機のような事態が発生した際、どこに影響が出るのか事前に予測するのは至難の業となります。

感染症の専門家は、コロナ収束後も、似たような感染拡大が何度も発生する可能性が高いと指摘しており、企業は従来型サプライチェーンの見直しを迫られています。すべてを自前で調達することは不可能ですから、グローバルなサプライチェーンそのものは消滅しませんが、サプライチェーンの規模は縮小され、近隣からの調達が増える可能性は高いと考えられます。

実際、日本企業の中からも、コロナ危機をきっかけに海外の工場を閉鎖し、国内生産に切り換えるところが出てきています。当然、各国企業も同じ事を考えますから、サプライチェーンはよりシンプルに、そして規模の小さいものとなっていくでしょう。

コンテナ船の運賃推移

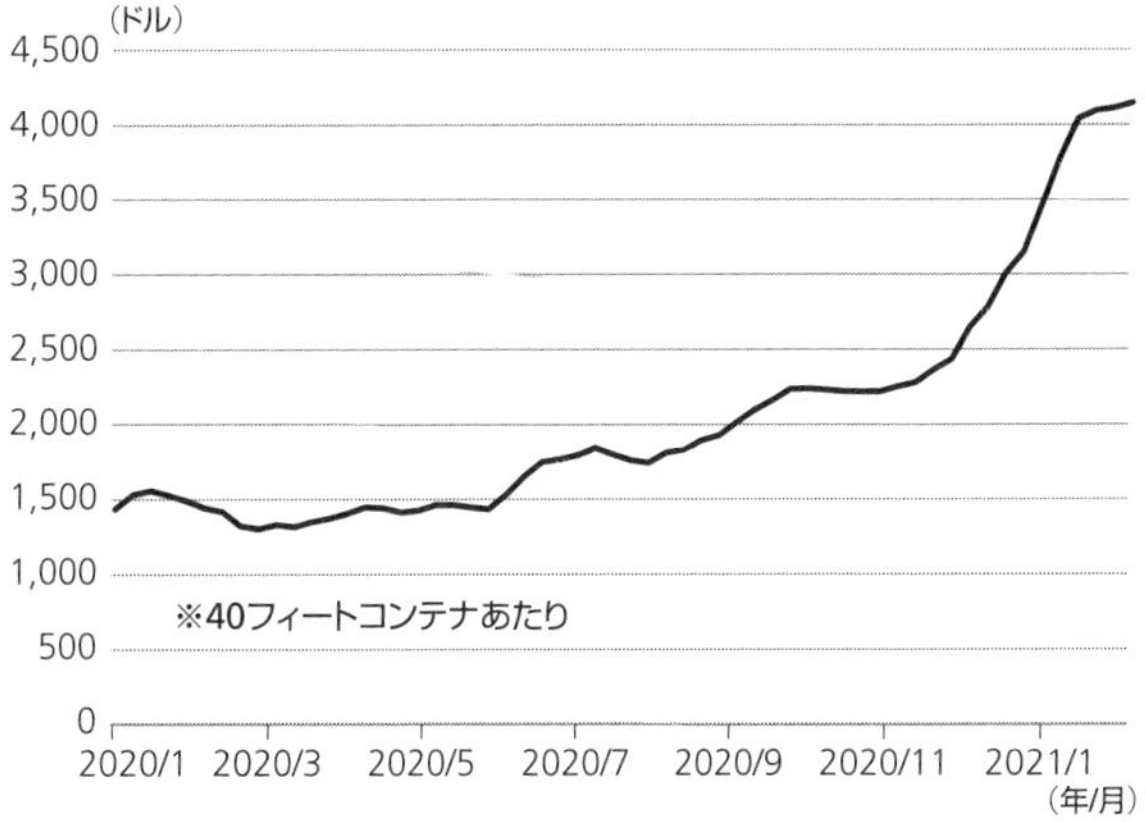

出所:フレイトス

ひとたびサプライチェーンが縮小すると、今度はコスト面での魅力も薄れてきます。

上の図は全世界的なコンテナ船の運賃を示した指数ですが、コロナ危機をきっかけにコンテナの運賃が跳ね上がっていることが分かります。コロナ危機のような事態が発生すると、ビジネス上の取引が激減しますから、世間一般の感覚では運賃は暴落するように思えるかもしれません。しかし現実の価格の動きは正反対です。

経済は需要と供給で決まるという話は多くの人が認識していると思います。価格についても需要と供給のバランスで決まりますから、コロナ危機で需要が極端に減れば、事業者は価格を安くして売り上げを保とうとするはずです。

しかしながら、こうしたメカニズムが働くのは、事業者が供給量を変えられない場合だけです。需要が減った場合、事業者は逆に供給を絞って、価格を上げることは十分に考えられます。実際、海運業界は、コロナ危機による極端な需要低迷を受けて、船舶の供給を絞っています。供給を大幅に絞れば、需要とのバランスが変わりますから、逆に値上がりすることもあり得るのです。

海運業界は非常に合理的で、徹底的な役割分担が出来上がっており、コンテナ船に積むコンテナもリース会社や投資ファンドが保有するケースが多くなっています。このためコンテナを貸し出している会社も、価格や利益を維持するため、貸出料を引き上げており、これが運賃高騰をさらに加速させています。

少し話はそれますが、需要が減少すると逆に価格が上昇する場合があるというのは、ガソリン価格など、他の商材にもいえることです。

菅政権は２０２０年10月、所信表明演説において２０５０年までに温室効果ガスの排出量を実質ゼロにすると表明、日本も本格的な脱炭素社会に向けて動き出すことになりました。日本では２０３０年代に純粋なガソリン車の販売が停止される見通しであり、２０３

0年以降のクルマは電気自動車（EV）かハイブリッド（HV）のどちらかになります。ピュアEVの場合には、ガソリンはまったく使いませんし、ハイブリッドの場合でも、ガソリンの消費量は激減します。

各国が足並みを揃えて脱石油を進めているわけですから、石油は余剰となり、価格が暴落するのではないかと予想されています。原油価格が今後、上がる余地が少ないことは事実なのですが、現実問題として、製品としてのガソリン価格も暴落するのかというとそうはならない可能性が高いでしょう。

ガソリンの消費量が減るということは、各地にあるガソリンスタンドの販売量も大幅に低下することを意味しています。販売量が減少すれば、石油元売り各社の損益分岐点が上がりますから、各社は採算が悪化した分を価格に転嫁しない限り、従来の利益を維持できません。

現実には、コスト上昇分を不採算店舗の削減でカバーする可能性もありますから、価格ではなく、ガソリンスタンドが減少し、利便性が低下するという形で利用者がコスト負担することになるかもしれません。いずれにせよ需要が減ったからといって、単純に価格が暴落するという話にはならないことがお分かりいただけると思います。

話を元に戻しましょう。

今回のコロナ危機が収束すれば、各国の需要は回復するはずですが、企業がリスク管理の観点から縮小したサプライチェーンをすべて元に戻すとは限りません。そうなると、コロナ収束後の社会においても、従来と同じ輸出入のかたちは維持されないことになり、これは輸送コストの上昇につながります。最終的には、コロナ危機をきっかけに経済のブロック化が進み、近隣調達が増える可能性が高いというのが筆者の予想です。

2021年1月にバイデン政権が成立したことで、米中は貿易戦争状態の回避に向けて交渉を進めていますが、先にも述べたように、中国には何も恐れるものはありませんから難航は必至です。むしろ中国は、貿易と引き換えに香港問題などで譲歩を迫られることを嫌う可能性がありますから、思ったほど米中交渉は進展しない可能性が高いでしょう。こうしたところに、コロナ危機をきっかけにしたサプライチェーンの縮小と近隣調達へのシフトが重なっていますから、アジア地域においては、中国の存在感は高くならざるを得ません。

RCEPのジレンマ

こうしたタイミングで中国が繰り出してきたのが、東アジア地域包括的経済連携（ＲＣＥＰ）と人民元のデジタル化、そして輸出管理法の３つです。順を追って解説していきましょう。

日本や中国、韓国、ＡＳＥＡＮなど15カ国は２０２０年11月、ＲＣＥＰに署名しました。日本にとっては環太平洋パートナーシップ協定（ＴＰＰ）に続く大型の自由貿易協定となります。

国内では、ＲＣＥＰの締結によって、中国の覇権が強まると警戒する声が高まっています。確かにこうした貿易協定交渉には、国家間の覇権争いという側面がありますが、純粋に経済的に見れば、加盟国には等しくメリットがあり、今回の締結で中国だけが得をするというわけではありません。

ＲＣＥＰやＴＰＰに代表される自由貿易協定の根拠となっている理論は比較優位説です。比較優位説とは、各国がすべてを自国で賄うのではなく、それぞれが得意分野に集中し、そうでないものは輸入した方が経済圏全体にとってメリットが大きいというものです。

重要なポイントは国際競争力が低い国であっても、自由貿易圏に参加し、得意分野に集中すれば経済的なメリットを享受できることです。強い国と弱い国の双方にメリットがあるからこそ、こうした協定が成立するわけです（そうでなければ、弱い国が参加するメリットがありません）。

この点において、比較優位説はしばしば誤解を受けます。

もっとも多い誤解は、「相手国よりも得意な産業に特化しなければならない」というものでしょう。もしそうならば、他国より強い産業がない国は、何もできなくなってしまいます。比較優位説はそのような主張ではなく、国内の産業の中でより得意なものにシフトすればメリットが得られるという意味です。

航空機産業の例を考えてみましょう。

航空機産業の分野は、航空機本体を製造するビジネスと、部品を手がけるビジネスの2種類に大別することができます。

航空機はもともと米国で発達した産業ですから、航空機本体も部品も、米国企業が得意としてきました。日本の航空機産業は、米国と比較すると競争力がありませんが、国内で比較すれば、航空機本体の製造よりも部品製造の方が得意です。そうであれば、無理に航空機本体の製造に力を入れるのではなく、部品製造に力を入れた方がよいという結論になります。

日米が比較優位の産業に特化しない場合とした場合

●特化しない場合

	航空機		航空機部品	
	人数	生産量	人数	生産量
米国	80	1	90	1
日本	120	1	100	1
合計生産量		2		2

●特化した場合

	航空機		航空機部品	
	人数	生産量	人数	生産量
米国	170	2.125	0	0
日本	0	0	220	2.2
合計生産量		2.125		2.2

出所：筆者作成

一方、米国の方も、航空機本体の方が部品の製造よりも得意であれば、航空機本体に特化した方が合理的です。相対的に得意な分野に特化するとお互いにメリットがあるという話は、数字で考えるとよりハッキリしてきます（上の図参照）。

例えばですが、米国では航空機1機を製造するのに80人の労働者が必要と仮定します。日本はこの分野での生産性が低い（競争力が低い）ので、１２０人という大人数が必要だとしましょう。一方、部品製造に従事する労働者は、米国は90人、日本は１００人が必要という状況です。

航空機も部品も、日本は米国より生産性が低いですが、日本の中では部品の方が航空機本体の製造よりも得意です。一方、米国はどちらも日本より勝っていますが、航空機本体の方がより勝っています。

この場合、米国は航空機本体を、日本は部品を作り、日本が部品を米国に輸出した方が全体の生産量は多くなります。詳細な計算は省きますが、米国は航空機に特化することで生産量を約6％、日本は部品に特化することで生産量を10％ほど増やすことが可能となるのです。

実際、航空機産業の分野では、機体は米国企業が製造し、部品は日本メーカーが製造するという棲み分けができていました。ところが三菱重工業はこの状況を変えようと、不得意な機体製造の分野に進出しましたが、結局、同社のジェット旅客機「三菱スペースジェット」は1機も顧客に納入することなく事実上、撤退する結果となっています。比較優位の経済原則と逆のビジネスを進めるのは難しいという現実がよく分かる事例です。

相対的に得意な分野に特化し、全員がそのメリットを享受する。これが自由貿易協定を強力に推進する理由です。

しかしながら、こうした自由貿易協定には問題点もあります。各国が得意な分野への集中を過度に進めてしまうと、産業の偏在化が進んでしまうのです。すでに経済成長を実現した成熟国にとっては大きな問題ではありませんが、これから新しい産業を育成しようとする途上国にとっては、産業が偏ってしまうことはデメリットになる場合もあります。今回、インドはRCEPに参加しませんでしたが、その理由は、弱い国内産業を保護・育成するためです。

日本のような国際競争力の高い国は、こうした心配が不要ですから、自由貿易協定の締結によって極めて大きな利益を得ることができます。そして、この話はRCEP構成メンバー中最大の経済力を持つ中国にも当てはまります。RCEPの締結によって、もっとも得をするのは経済規模の大きい中国と日本であり、中国よりも日本の競争力が強ければ、日本は最大の利益を得ることができます。一方、中国の競争力が日本を超えた場合には、中国が最大の利益享受者となるでしょう。

今後、中国はRCEPを軸に、中国を中心としたアジアの自由貿易圏構築を主導し、かつての米国のような地位を目指していくと考えられます。

この問題のやっかいなところは、中国の経済的な台頭は、日本の輸出産業にとってメリットがあるという点です。アジア地域での貿易が活発になれば、日本から中国への輸出は拡大し、日本企業には大きな利益がもたらされますが、それは中国がお客さんとして台頭することの裏返しでもあります。日本の製造業が中国向けの輸出で業績を維持するということになれば、日本の相対的な交渉力は低下せざるを得ません。

輸出規制で中国が手にした強力な外交力

RCEPが他国にもメリットがあるという点で「アメ」の施策と考えるなら、中国が米国への対抗措置として打ち出した輸出規制は「ムチ」の政策と考えてよいでしょう。

中国政府は2020年12月、安全保障に関わる製品の輸出規制を強化する「輸出管理法」を施行しました。同法は主に2つの枠組みで構成されています。

ひとつは品目の指定で、同法で指定された品目については許可制となり中国企業は自由に輸出することができなくなります。もうひとつは企業のリスト化で、安全保障上問題があると認定された外国企業に対する輸出が禁止されます。

トランプ政権は、中国に対して貿易戦争を仕かけており、華為技術（ファーウェイ）など一部メーカーの製品に対して、安全保障上の理由から事実上の禁輸措置を実施しました。中国が今回発動した措置は、米国の禁輸措置と同じような内容であり、米国への対抗措置であるのは明らかといってよいでしょう。

　日本メーカーは中国メーカーから多くの部品や原材料を輸入しており、これらの製品が対象品目になってしまうと、日本メーカーは中国から自由にモノを調達できなくなってしまいます。メディアなどで盛んに取り上げられているのは、家電やＡＶ機器、電気自動車（ＥＶ）の生産に欠かせない希少なレアアースです。日本はレアアースの約６割を中国に依存しており、仮にこれが対象品目に加わった場合、日本メーカーは大打撃を受けることになります。

　２０１９年における日本の貿易総額はおよそ１５６兆円でしたが、対中貿易は約33兆円、対米貿易は約24兆円となっており、米中両国は日本にとって最大の取引先となっています。日本メーカーが中国から部品を輸入し、国内工場で生産して米国に輸出するケースや、日本メーカーが中国メーカーに部品を輸出し、中国メーカーが最終製品として米国に輸出するケースなど、取引のルートは様々です。

　いずれにせよ、多くの日本メーカーにとって中国と米国は主要取引先であり、米中の対立でもっとも大きな影響を受けるのが日本であることは間違いありません。トランプ政権が中国に対して貿易戦争を仕かけた以上、中国が対抗措置を講じてくるのは当然といえば当然の反応ですが、日本にとっては最悪の展開ということになります。

この措置でもっとも懸念されているのは、再輸出の問題です。再輸出規定を交渉材料に持ち出された場合、日本はさらに厳しい状況に追い込まれてしまうからです。

米国が実施している中国に対する禁輸措置は、第三国を経由した輸出もその対象となっています。米国は自国企業に対してファーウェイに対する輸出を禁止していますが、米国企業が一旦、日本に部品などを輸出して、その後、日本企業がファーウェイに最終製品を納入するというルートも禁止対象に含まれます。つまり、日本メーカーが米国製部品もしくは米国由来の部品を使用した製品をファーウェイに納入した場合、その日本メーカーは米国企業と取引ができなくなってしまうのです。

これが再輸出の規定ですが、今回、中国が発動した輸出規制には、これとほぼ同じ内容が含まれています。つまり中国から第三国（この場合は日本）を経由しての輸出も対象に加えることができるのです。

例えば日本メーカーが中国メーカーから原材料を輸入して部品を製造し、米国メーカーに輸出したと仮定しましょう。中国がその米国メーカーを禁輸対象とした場合、中国メーカーは米国メーカーに直接輸出ができなくなるだけでなく、中国から原材料を輸入している日本メーカーとも取引ができなくなります。日本メーカーにしてみれば、原材料の輸入ができなくなるので、事実上、その事業を停止せざるを得ないでしょう。

つまり、再輸出の規制というのは、米中という当事者ではなく、むしろ当事者以外で米中と取引のある国に対する圧力として使われる可能性が高いのです。

もっと具体的な例をあげてみれば、その効果が絶大であることが分かると思います。

例えば、米国が日本と個別の貿易交渉を行う場合、日本はコメなどの農作物について関税撤廃の対象外にしたいと米国に要求するはずです。しかし、米国が再輸出規定を持ち出してパッケージディール（複数の項目をセットで交渉すること）を仕かけてきた場合、日本側は間違いなく妥協を強いられることになります。

逆に中国と個別交渉をしている際に、中国側がこの規定を持ち出せば、やはり日本は譲歩を迫られるでしょう。理屈上は「中国企業との取引を継続したければ、尖閣諸島問題で妥協しろ」といった圧力が可能となってしまうのです。

これまでの政府の対応を見ると、日本企業の業績を犠牲にしてでも、中国には妥協しないというような明確な姿勢は感じられません。こうした強硬措置が良いか悪いかは別にして、仮にこのような事態になった場合、日本は大幅に譲歩してしまうのではないでしょうか。

また、米国と中国から同時に似たような圧力が加わった場合、日本はどちらかを選択するよう迫られ、板挟みになってしまう可能性もあります。再輸出規定というのは、状況次第では、日本を崖っぷちに追い込む破壊力を持っており、私たちはこの現実について、よく理解しておく必要があると思います。

台湾経済界の分断を狙う中国の工作

もっとも、輸出規制は米中両国にとって劇薬ともいえる交渉カードですから、すぐにそのカードを切ることはないでしょう。つまり、中国政府がいきなり多数の品目を輸出規制対象に加える可能性は低いと考えられるのですが、仮にカードを切らないにしても、実弾を持っていることは、外交上、極めて大きなパワーとなります。

日本社会は中国に対して甘い見通しを立てる傾向が強く、今回の輸出規制についても軽く考えているフシがあります。仮に中国政府が重要品目を規制対象にしなかった場合、日本の世論は単純に「日本製品がなければ中国はやっていけない！」「中国は日本の力に屈した！」などと言って大喜びするかもしれません。しかし、中国が本気でこの法律を交渉に使う気ならば、もっと狡猾かつ陰湿に、水面下で事を進めてくるに違いありません。

ひとつのケースを想定してみましょう。

中国政府は、ある製品をどこかの段階でリストに加えるものの、現実には一切、輸出規制は実施しません。安心した日本政府と日本企業はそのまま中国との取引を継続しますが、しばらくすると、突然、中国メーカーが十分な数量の製品を輸出しなくなってしまいます。日本側は中国が輸出規制を発動したのかと考え、慌てて中国側に問い合わせますが「単に物流の問題であり、国としては制限は加えていない」という木で鼻をくった回答しか返ってきません。

ところが、同じ製品を輸入している別の日本企業は何の問題もなく、従来と同じように製品を輸入できています。なぜ中国側の対応が企業によって違うのか、日本の産業界は疑心暗鬼に陥ることになるでしょう。

このようにして、互いの猜疑心を助長し、各企業が中国に媚びてくるよう水面下で工作することが可能となってしまうのです。実際、中国は台湾経済界に対して似たようなことを行ってきました。

中国は単に軍事力だけで台湾に圧力をかけているのではありません。中国に協力的な企業を隠れた形で優遇することで、台湾経済界を分断させ、世論を親中に傾かせるための工作を継続的に実施してきたのです。日本人はこうした工作に特に弱く、中国側に簡単に操られてしまう可能性が否定できません。

今回、施行された輸出規制というのは、こうした使い方ができるツールであり、日本に対する影響が極めて大きいことについて認識する必要があると思います。また日本が輸出で経済を回していく限り、こうしたツールで翻弄されてしまう可能性があるということについても理解しておくべきでしょう。

中国がアジア経済圏における盟主を目指しているのなら、最終的には米国と同様、金融システムにおける覇権を握ろうと考えるはずです。実際、中国はRCEPの締結とタイミングを同じくして、大都市圏を中心にデジタル人民元の配布を開始しましたが、これは将来的な通貨覇権の確立を狙ったものと見て間違いありません。

デジタル人民元は米ドル支配を揺るがす

デジタル人民元は従来の電子マネーとは根本的に異なる存在であり、それ自体が法定通貨として通用します。中国はデジタル人民元を通貨として流通させるため、中国人民銀行法の改正を予定していますから、これは本格的な取り組みと考えてよいでしょう。

中央銀行がデジタル通貨を発行する手法としては、国民に直接、デジタル通貨を配る「直接型」と、市中銀行を介して流通させる「間接型」の2種類があるとされています。間接型は、基本的に従来の金融システムと同じであり、中央銀行は個人とは取引せず、市中銀行のみを相手にする仕組みです。

間接型は、中央銀行と市中銀行のやり取りをデジタル通貨に置き換えるだけですから、金融システムにそれほど大きな変更を加える必要がありません。このため直接型よりもスムーズに流通を拡大させることができるといわれています。

中国が採用したのは間接型であり、市中銀行が中央銀行に預けている準備預金をデジタル人民元に置き換え、市中銀行は希望する利用者にデジタル人民元を提供するという仕組みです。利用者は専用の口座（ウォレット）を開設することで、自身の預金口座からデジタル人民元を引き出すことができます。

各国の中央銀行は、これまで通貨のデジタル化に対しては総じて否定的なスタンスであり、研究は行っているものの、実際に流通させようと考える国は存在していませんでした。ところが中国政府だけは、法定通貨のデジタル化に積極的であり、デジタル人民元の開発を独自に進めてきました。今回、大規模な実証実験をスタートしたことで、そう遠くない時期にデジタル通貨の本格運用を始めることになるでしょう。

中国はクレジットカードなど従来型キャッシュレス決済のインフラが未整備だったこともあり、アリペイやウィーチャットペイといったスマホ決済サービスが急拡大したという経緯があります。今となっては中国は世界でもっともキャッシュレス化が進んでいる国のひとつであり、今回のデジタル人民元も、アプリ上での使い勝手は、既存の電子マネーや仮想通貨と何も変わりません。利用者側にとってみれば、人民元になったからといって特別、何かが変化するわけではありませんから、かなりのペースで普及するのではないかと思います。

各国の通貨当局が通貨のデジタル化に消極的だったのは、既存の金融システムから莫大な政治的・経済的な利益を得ており、一気にデジタル化を進めてしまうと、これまで得られていた利権の一部が失われる可能性があったからです。

この事情は中国にとっても同じであり、中国の通貨当局もホンネではデジタル人民元の早期実用化は望んでいなかったかもしれません。それにもかかわらず、他国に先がけて急ピッチでデジタル人民元の流通をスタートさせたのは、デジタル人民元を通じて、米ドル支配の構造にくさびを打ち込みたいという政府全体の目論見があるからです。

第1章で解説しましたが、米国のように、大量の製品を世界から購入し、自国通貨を代金として世界に支払っている国は、自動的に金融市場においても覇権を握ることができます。金融システムを押さえているだけで、他国の経済状況が手に取るように分かり、場合によっては他国の活動に制限を加えることも可能となります。

金融市場を支配することがいかに大きなパワーをもたらすのかは、歴史が証明していま す。ナイチンゲールが活躍したことでも有名なクリミア戦争（1853〜1856年）はその典型例でしょう。

クリミア戦争は、ロシアの南下政策をめぐって、ロシアとトルコの間で発生した戦争ですが、実質的にはトルコを支援する英・仏とロシアとの戦争です。

戦争には巨額の費用がかかりますが、全額を税金で徴収すると、国民生活が破綻してしまいます。このため、戦費の調達は借金（国債発行）で賄われることが一般的であり、当時のロシアも国債を発行し、市場から資金を調達することになりました。

ところが、当時、世界の金融市場を支配していたのは、基軸通貨ポンドを持つ英国であり、ロシアは自国において十分に機能するグローバルな金融市場を運営できていませんでした。ロシアは自国市場で戦費を調達することができず、何と敵国である英国の金融街シティで資金調達せざるを得なかったのです。

英国は敵国であるロシアの行動をあえて黙認しましたが、国債発行市場を英国が押さえている以上、その気になればいつでもロシアの資金源を断つことができます。戦費という根本的なリソースを敵国に依存しているロシアには、そもそも勝ち目などなかったと考えてよいでしょう。

先述したように、太平洋戦争における日本の敗北も金融市場の未整備と密接に関係していますから、覇権を握ろうという国にとっては、金融支配の確立は必須要件といってよいものです。

第二次世界大戦終了後、英国が確立したポンド経済圏を破壊してドル経済圏を確立するため、米国は英国に対して冷酷無比な交渉を行いました（ブレトン・ウッズ会議）。

英国はポンドによる基軸通貨体制から得られる利益を少しでも残そうと、世界的な著名人となっていた経済学者ケインズを代表に任命。世界通貨バンコールの創設を軸に、総力戦で対米交渉にあたりました。しかし、米国のスタンスはあまりにも強硬で、英国側の主張はほぼすべて拒否されてしまいます。以前から心臓に持病を抱えていたケインズは、会議をきっかけに持病を悪化させ、2年後には心臓発作で亡くなりました。

米国が、世界の頂点に立つ経済学者を窮地に追い込んでまで交渉に勝ちたかったのは、ドルによる金融覇権を何としても確立したかったからです。

こうした歴史を振り返るまでもなく、中国がこのタイミングでデジタル人民元を投入してきたのは、ドル覇権に挑戦するという意思表示に他ならないと考えてよいでしょう。実際、戦後のドル覇権の象徴ともいえる国際機関ＩＭＦ（国際通貨基金）は２０２０年10月、デジタル人民元に代表されるデジタル法定通貨や、ビットコインやリブラといった民間仮想通貨の台頭によってデジタル通貨圏が出現し、場合によっては「ドル基軸体制が崩れる可能性がある」とした驚くべき報告書を公表しています。

同レポートはＩＭＦのスタッフが作成したものであり、「必ずしも理事会の見解を表明したものではない」との注意書きが付いていますが、逆にこの記述が事の重大性を示しているともいえます。少なくとも国際金融市場では、ＩＭＦが事実上、デジタル人民元が普及する可能性について認めたと受け止めています。

筆者は本書において、世界経済は近い将来、米国・中国・欧州という3極体制になると指摘していますが、この話は当然、通貨ともリンクしています。

近い将来、米国を中心とするドル経済圏、中国を中心とする人民元経済圏、欧州を中心とするユーロ経済圏が並び立つことになります。戦後日本は、基本的にドル経済圏に依存する形で発展してきましたが、その基本構造が崩れる可能性が出てきているのです。

現時点において人民元は国際金融市場ではほとんど流通していませんし、ドルの支配力は圧倒的です。デジタル人民元のシェアを拡大することは不可能だという指摘もありますが、筆者は現時点の状況だけを見て判断するのは危険だと考えます。中国政府はデジタル通貨ならではの巧妙な戦略を立てている可能性があるからです。

毛沢東理論でデジタル人民元が普及する?

中国は14億人もの人口を抱えており、国内市場だけでも突出した大きさがあります。しかも中国は近年、アフリカやアジアへの経済支援を強化しており、各地域に中国経済圏を構築しつつあるのが現実です。日本でも話題となった中国の「一帯一路」計画も、ユーラシア大陸における中華経済圏を確立することが狙いです。

しかしながら、各国が経済成長すればその分だけ貿易も拡大し、いくら人民元で支援を受けたとしても、やがては貿易を通じてドル経済圏に取り込まれてしまいます。

アプリを使った小口現金決済の分野からデジタル人民元の流通をスタートさせれば、大口資金とはまったく別ルートで人民元を普及させることが可能となります。確かに最初はごく小さな取引かもしれませんが、支援地域における個人や法人の送金の一部がデジタル人民元に置き換わった場合、チリも積もればで、最終的には大きなシェアになる可能性は否定できません。当初はゲリラ的に周辺領域から普及させ、ある程度、シェアが拡大したタイミングで一気に人民元の経済圏を確立する戦略と考えられます。

中国の現代史について多少、知識のある人なら、一連の流れを聞いてピンと来たのではないでしょうか。

弱者として戦いをスタートし、ゲリラ的に周辺領域を押さえて、最後にはオセロのようにすべてをひっくり返すというのは、農村を拠点に都市を包囲し、最終的には革命を成功させた毛沢東思想（人民戦争理論）そのものです。

国共内戦当時、国民党（後の台湾）は米国の全面支援を受け、圧倒的な物量で優位に立っていましたが、最終的にはゲリラ戦を繰り返す中国共産党に敗北。同党は中国全土を支配するに至りました。デジタル人民元についても似たような戦略を描いている可能性があり、油断は絶対に禁物だと筆者は考えます。

第4章　中国の技術力はもはや世界トップレベル

これからの時代を切り拓く基本技術がＩＴであることについて、もはや疑う人はいないでしょう。戦後の70年間は工業の時代であり、モノ作りが経済を回してきました。これからの数十年はＩＴ経済の時代ですから、情報が経済を回すことになります。

この話は、ＩＴに関連した技術をどれだけ蓄積できるのかで国力が決まると言い換えることもできますが、中国は驚異的なペースで技術力を高めており、日本にとって大きな脅威となっています。

国内では「中国の技術力は低い」と一刀両断にする雰囲気がいまだに残っていますが、これは15年以上も前の古い常識であり、完全に時代に取り残されています。第４章は中国の技術力について解説します。

日本政府が保有するドローンのほとんどは中国製

中国がドローン（無人機）に関する高度な技術を持っていることは、ＩＴ業界ではもはや常識です。中国のドローン技術の高さを端的に示すきっかけとなったのは、未来型の花火ともいわれるドローン・ショーです。

ドローン・ショーの様子
出所：https://ir.ehang.com/node/7356/

ドローン・ショーというのは、照明を搭載した無数のドローンを夜間に飛行させ、コンピュータ上で指示を出して、夜空に絵や文字を浮かび上がらせるというイベントです（上の写真参照）。読者の皆さんもテレビのバラエティー番組などで、ドローン・ショーを見たことがあるのではないかと思います。１００機以上のドローンが夜空を彩る様は、まさに息をのむ美しさですが、この分野で圧倒的な存在感を示しているのが中国企業なのです。

これはエンタメ業界の話ですが、実業の世界でも中国製ドローンは圧倒的な競争力を持っており、日本メーカーは手も足も出ないというのが実状です。

日本政府はすでに１０００機以上のドローン

を保有しており、河川やダムといったインフラの監視や測量など、様々な分野で活用しています。ドローンの有効活用は、人手不足を抜本的に解決する切り札とされており、これからの日本にとっては重要な施策といってよいでしょう。ところが日本政府が保有するドローンのほとんどは中国製であり、日本製はほぼゼロというのが現実です。その理由は、中国製のドローンの方が圧倒的に高性能で低価格だからです。

日本経済新聞社と調査会社フォーマルハウト・テクノ・ソリューションズが共同で中国製（ＤＪＩ社）ドローンの分解調査を行ったところ、約２３０種類の部品のうち金額ベースで約８割が汎用品であるという驚愕の事実が明らかとなりました。

ＤＪＩは小型ドローンの分野では圧倒的なシェアを持つ中国企業です。同社製のドローンの性能は極めて高く、４Ｋ画質での空撮が可能で、自動追尾や障害物回避にも対応しています。また、価格が圧倒的に安く、日本メーカーが同じ性能を出すには2倍のコストがかかるともいわれています。

ところが、これだけの高性能であるにもかかわらず、使われている部品のほとんどが安価な汎用品だったことが明らかとなったわけです。では、ＤＪＩ製のドローンは、汎用品を使っているにもかかわらず、なぜ高い性能を発揮することができるのでしょうか。その謎を解くカギはソフトウェア技術にあります。

通常、こうした工業製品が高い性能を発揮するためには、製品を構成する部品の精度を上げる必要があります。しかしながら、部品の精度を上げると、その分だけコストも上昇することになります。部品の精度を1割上げるとコストが10倍かかることなどザラにありますから、精度とコストの両立は極めて難しいテーマといってよいでしょう。

さらにいえば、ただむやみに部品の精度を上げればよいというわけでもありません。部品と部品の組み合わせで生じるトラブルを最小限に抑えなければ、製品全体として高い性能を発揮できないからです。

日本メーカーは、こうした精度の高い部品を製造することや、部品どうしの摺り合わせといった分野を非常に得意としており、これまで、低価格で性能が高い製品を数多く世に送り出してきました。

当初、ドローンが登場してきた時も、この分野で圧倒的な勝利を収めるのは日本企業であるというのが大方の見方でした。ところがフタを開けて見ると状況はまったく違っており、先ほどの政府が購入するドローンの状況からも分かるように、日本企業にはまったく存在感がありません。

中国製のドローンが日本メーカーを圧倒する性能を実現できているのは、中国メーカーが高度なソフトウェア技術を持っているからです。

米国並みの破壊力を手にした中国のソフトウェア技術

汎用の部品を使った場合、専用に設計した高度な部品の8割程度の性能しか実現できないかもしれませんが、コストは数分の一で済みます。しかし、装置全体をソフトウェアで制御し、部品と部品の特性の違いをソフト上でコントロールできれば、汎用品の組み合わせだけでも極めて高い性能を実現できます。中国製ドローンの高い性能は、こうしたソフトウェア技術によって生み出されています。

これはドローンだけにとどまる話ではありません。

次世代産業の中核を担うEV（電気自動車）の分野でもまったく同じことがいえます。

EVが登場してくるまで、電池業界は日本メーカーの独壇場であり、EV社会が到来した時には、日本メーカーが圧倒的に有利になるというのが一般的な見方でした。ところが、本格的なEV用バッテリーの開発に成功し、新しい時代をリードしたのは電池については何のノウハウも持たなかった米テスラでした。

日本メーカーは実用に耐えられるＥＶ用蓄電池をハードウェアとして開発しようとしていましたが、テスラは既存の電池セルを活用してソフトウェアで制御する方法を採用。あっという間に高性能なＥＶ用バッテリーの開発に成功したのです。

結果的に業界をリードしたのはテスラであり、圧倒的な技術力を持っていたはずのパナソニックは、半ばテスラの下請けとして電池を製造する立場になっています。そうしている間に、中国の電池メーカーがみるみるうちに力をつけ、今やＥＶ向けバッテリーの業界は中国企業が席巻している状況です。トヨタやホンダなど日本の自動車メーカー各社は、バッテリーの確保に必死になっており、次々と中国企業との提携を発表しています。

ＩＴインフラの分野でも同じことが起こっています。

社会のネット化が進むにつれて大規模データセンターへのニーズが高まってきましたが、巨大なクラウド・サービスを構築することができたのは、サーバーなど機器類の製造を得意とする日本メーカーではなく、グーグルやマイクロソフトなどソフトウェア技術を得意とする企業でした。

日本勢は大規模でかつ冗長性の高いデータセンターを運営するには、ハードウェアの信頼性を上げることが重要と考えていました。ところが米国企業は、既存のハードウェアには手を加えず、とにかく安価に調達することに特化し、冗長性はすべてソフトウェアで解決してしまったのです。

詳細な仕様は公開されていませんが、グーグルやマイクロソフトのクラウドは、機器の故障を事前にソフトウェアが予測し、実際に壊れる前に該当するデータを自動的に他のサーバーに移動させる仕組みになっています。つまり、クラウド上にあるデータは常に動いており、静的にひとつの場所に格納されてはいない可能性が高いのです。壊れないようにするのではなく、壊れてもいいようにしておくというのはまさにソフト的な発想といってよいでしょう。

ソフトウェアを活用することによって、従来の常識を覆す画期的な製品やサービスを開発できるわけですから、まさに革命的な技術といえますが、米国から始まったこの革命的な技術にいち早く目をつけたのが中国企業です。

中国は、かなりの初期段階からソフトウェアが持つ破壊的な威力を認識しており、国家をあげてソフトウェア技術を強化・育成してきました。現在では米国企業と遜色ないレベルのソフトウェア技術を獲得するに至っています。第2章で紹介したアリババのＡＩスーパーはその典型例ですが、全世界的に見てここまでのＩＴインフラを自力で構築できる技術力を持つ国は米国と中国しかありません。

ソフトウェアで日本が中国に追いつくのは困難

こうしたソフトウェア技術の恐ろしいところは、ノウハウの蓄積と経験値がモノを言う世界であり、出遅れた国が追いつくのが極めて困難という点です。

工業製品の分野は２つに大別することができます。

ひとつは画期的なアイデアやコンセプトがモノを言う分野と、もうひとつは地道な努力とノウハウの蓄積がモノを言う分野です。

アイデアやコンセプトが求められる製品分野の代表例は米アップルのｉＰｈｏｎｅでしょう。ｉＰｈｏｎｅの原型となる製品が提唱されたのは１９９０年代のことであり、アップルはｉＰｈｏｎｅを開発するために相当な試行錯誤を繰り返してきましたから、決して簡単に世に出せた製品ではありません。しかしながら、アップル製品が持つ付加価値の多くが、純粋な技術力ではなく、創業者のスティーブ・ジョブズ氏による卓越したセンスとアイデアによってもたらされていることは疑いようのない事実です。

ｉＰｈｏｎｅそのものを作ることはできなくても、韓国サムスンのように工業的に同じレベルの製品を作ることは可能であり、ｉＰｈｏｎｅが持つ独特の魅力を除けば、他社では絶対に実現できないという製品ではありません。

一方、従来の日本企業が得意としてきた機械類や電子部品といった分野は明らかに後者となります。部品ひとつから精度を検証し、部品と部品をうまく摺り合わせて製品全体を作り上げるためには気の遠くなるような作業が必要であり、新規に参入する企業は簡単に追いつくことができません。日本企業は戦後、数十年にわたって工業製品において高い競争力を維持してきましたが、これが実現できたのは、地道な努力と経験が生かせる分野で勝負してきたからです。

実はまったく同じことが、ソフトウェア産業にもいえるのです。

ソフトウェアの分野というのは、初期投資が必要ありませんから、新規参入は比較的簡単です。しかしながら、このことは後発企業がすぐにキャッチアップできることを意味しているわけではありません。

ソフトウェアは外から見えにくい分、地道な努力やノウハウの蓄積が威力を発揮するケースが多く、出遅れた国が挽回することが非常に難しい分野なのです。グーグルやマイクロソフト、そして中国のアリババが作り上げたクラウドのサービスは、見た目は非常に地味ですが、他社が今から追随することはほぼ不可能です。

先ほど、汎用品を使っているにもかかわらず、高性能を実現している中国製ドローンのケースを紹介しましたが、こうした部品と部品の摺り合わせというのは、ソフトウェア上であっても同じように地道な努力が必要となります。

つまり、ソフトウェア技術において日本企業が出遅れたということは、日本人がもっとも得意とする分野において、他国に先を越されてしまったことを意味しているのです。

実際、ソフトウェア技術を得意とする中国メーカーは、かつての日本企業とまったく同じように試行錯誤を繰り返し、時間をかけて今の技術体系とノウハウを獲得しました。日本企業が今からソフトウェア重視に舵を切ったとしても、追いつくのは極めて難しいと思った方がよいでしょう。

中国はとうとう特許数で米国を抜いた

では、個別企業のケースではなく、国家全体として中国はどの程度の技術力を持っているのでしょうか。国家が持つ技術レベルをもっとも端的に示す指標はやはり特許の数でしょう。国際的に通用する特許の申請件数が多い国は、基本的に技術力が高く、次世代に向

各国の国際特許（PCT）出願件数

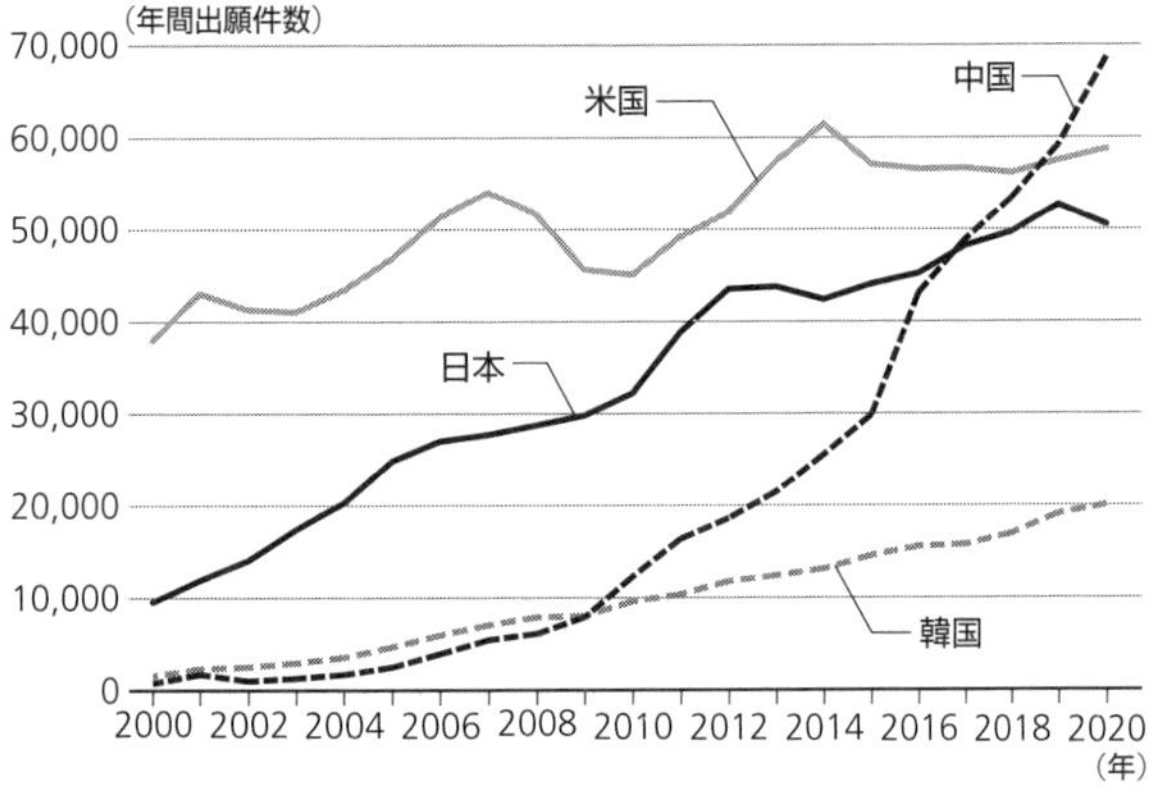

出所：世界知的所有権機関

けた研究開発も盛んです。

世界知的所有権機関（ＷＩＰＯ）が発表した２０１９年の国際特許出願件数調査によると、中国は米国を追い抜いて初めて世界トップとなりました。中国は２０２０年のランキングでもトップとなっており、米国との差をさらに拡大させています。企業別では、中国の通信機器メーカー・ファーウェイが４年連続で首位を確保しています。

特許というのは、基本的にその国ごとに出願するものですが、国際特許というのは特許協力条約（ＰＣＴ）に基づく制度で、ひとつの加盟国への出願によって複数国に出願したことと同じ効果を持ちます。

グローバルに製品やサービスを展開する

企業は、国際特許の出願に積極的ですから、国際特許の申請件数の多さは、その国の競争力の高さを端的に示す指標と考えられています。

中国の国際特許出願は、２０００年にはわずか８００件弱で、断トツの1位だった米国はもちろんのこと、日本や韓国よりも少ない件数でした。ところが２０１０年代に入って中国は急激に技術開発を活発化させ、申請件数が急上昇。とうとう２０１９年に米国を抜いて世界1位の座を獲得しました。

企業別ランキングで4年連続首位となった中国ファーウェイの製品に対しては、米国政府が安全保障上の問題があるとして禁輸措置を実施しています。本当のところ、同社製品にどれほどの情報漏洩リスクがあるのかは定かではありませんが、特許件数からも分かるように同社が圧倒的な技術力を持つ企業であることは間違いありません。世界の超大国である米国がこれほどの反応を示しているわけですから、ファーウェイのような企業が存在しているだけでも、かなりの外交的なパワーになることが分かります。

先ほど、日本政府が保有するドローンのほとんどが中国製で、しかもソフトウェアで制御されているという話をしましたが、当然のことながら、これは安全保障上、極めて重大な影響を日本に及ぼします。

中国製ドローンがソフトウェアで制御されているということは、理屈上、中国は日本政府が保有するドローンに何らかのプログラムを仕込むことが可能であることを意味します。安全保障の分野では「ケイパビリティ（潜在的な実行能力）」と呼びますが、実際にそのような行為がなされているかどうかにかかわらず、原理的に可能な状態であることは、外交上、絶大な効果をもたらします。技術分野で覇権を握られてしまうということは、外交や安全保障の弱体化に直結する問題なのです。

特許というのは、製品に実装されることが前提の完成された技術ですから、特許件数が多いということは、現時点、あるいは近い将来の技術力が高いことを示しています。中国は特許件数で米国を追い抜いているわけですから、すでに製品開発力において、米国を超えたと見なすこともできるわけです。

一方、基礎的な研究開発というのは、今すぐに製品化に結びつくものではなく、中長期的な技術力を担保するという役割を担っています。基礎研究が活発な国は、10年後、20年後も高い技術力を発揮し続ける可能性が高いと見てよいでしょう。画期的な研究論文が多数、発表されているということは、その国が将来においても有力な技術を持ち続けることを意味しており、この点においても、中国の躍進は明らかです。

各国の引用回数上位10%の論文数の推移

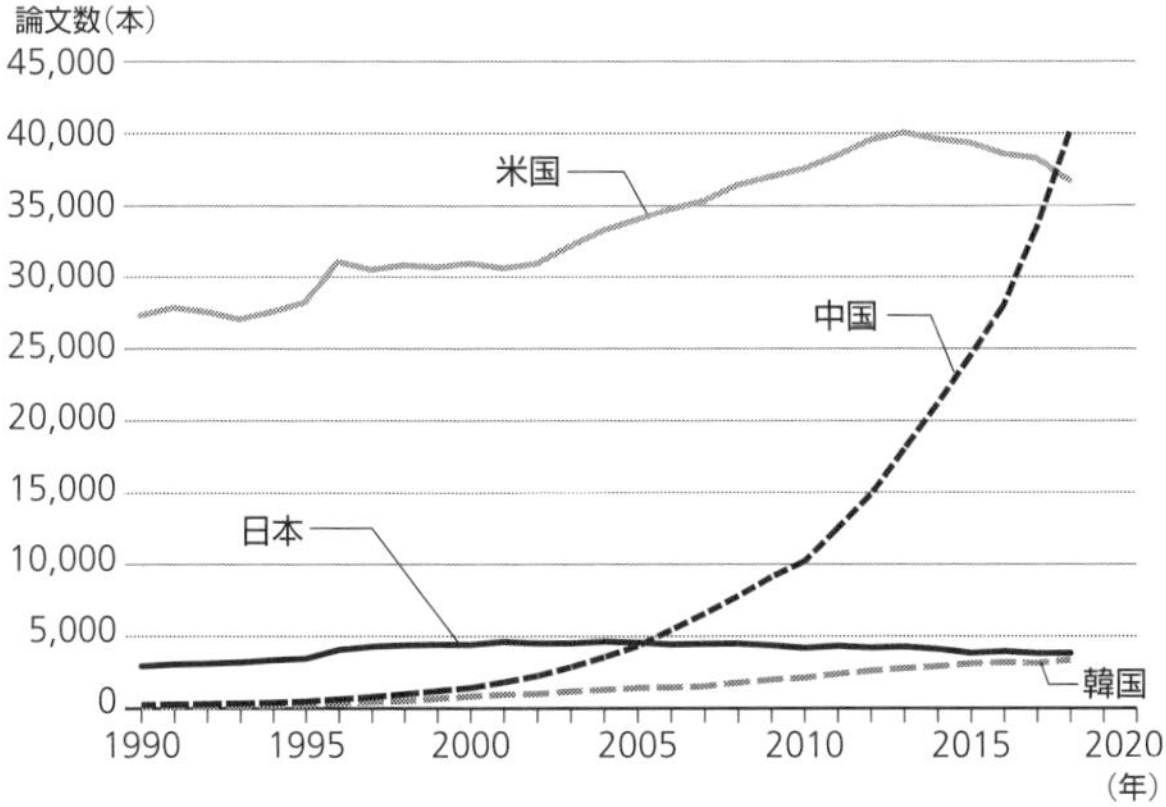

※引用回数トップ10%の論文数を分数カウント法で計算
出所：科学技術・学術政策研究所「科学技術指標2020」

上の図は引用回数において上位10%に入る優秀な論文数の推移を示したグラフです。一般的に論文数が多い国は、研究開発力が高いと認識されていますが、粗悪な論文を量産して本数を稼ぐことも不可能ではありません（実際、学者の中には、自身の業績を水増しするため、質の低い論文を量産する人が一定数存在します）。このため、本当の意味での競争力を比較するためには、トップレベルの論文本数を比較する必要があります。

優秀な論文は必ず他の研究者から引用されますから、引用回数は論文の優秀さを示す有力な指標となります。このグラフは、引用回数がトップ10%に入る論文の本数を国際比較したもので、各国の研究開発力の違いを示しています。

中国の論文数は２０００年時点で約１４００本と日本の３分の１以下、米国の20分の１以下に過ぎませんでした。

ところが、先ほどの特許件数と同じく、中国は２０００年代から急激に数を増やしており、２０１８年には米国を抜いて世界１位となっています。現時点での技術力を示す特許件数においても、そして将来の技術力を担保する論文数においても中国は世界トップということですから、当分の間、中国の優位が続くのは間違いありません。

中国に抜かされたとはいえ特許については、日本はそれなりの件数を保っていますが、論文についてはむしろ本数が減っており、韓国にも抜かされつつあります。将来の技術力という点では、日本は極めて深刻な状況にあると考えてよいでしょう。

中国が米国を凌駕する技術大国になったということは、技術体系の断絶をもたらす可能性があるという点で非常に憂慮すべき事態だと筆者は考えています。

これまでは、米国が世界の中で圧倒的なナンバーワンであり、他の国が米国の技術体系を脅かすことはありませんでした。したがって日本など米国以外の国は、常に米国の後追いをすればよく、米国の後追いをしている限り、全世界的な技術の枠組みは米国基準がスタンダードであり続けます。

近年、グローバルスタンダードという言葉を耳にすることが多いと思いますが、これまでの時代はグローバルスタンダード＝米国基準と言い換えることができました。しかし米国と同等、あるいはそれを超える中国という技術大国が登場してきたことで、状況は大きく変わらざるを得ません。科学技術の分野で後追いをする国は、米国を参考にしていくのか、中国を参考にしていくのか二分されることになるでしょう。結果として、世界には米国基準と中国基準という2つのスタンダードが並立することになり、両国の経済圏が分断される可能性が高まってくるのです。

ユニコーンの25%は中国企業

こうした技術力の差は、企業の競争力の違いとなって顕在化し、最終的には国家の経済力や軍事力などに結びついていきます。

中国が驚異的な水準で技術力を高めていることは、いわゆるユニコーン企業の数からもうかがい知ることができます。ユニコーンとは、一般的に創業から10年以内で、企業価値の評価額が極めて高い未上場のベンチャー企業のことを指します。

2020年におけるユニコーン企業上位30社

順位	企業名	時価総額（10億ドル）	国名	分野
1	Bytedance	140.0	中国	人工知能
2	Didi Chuxing	62.0	中国	輸送サービス
3	SpaceX	46.0	米国	その他
4	Stripe	36.0	米国	フィンテック
5	Kuaishou	18.0	中国	モバイル・通信
6	Instacart	17.7	米国	サプライチェーン
7	Epic Games	17.3	米国	その他
8	One97 Communications	16.0	インド	フィンテック
9	Yuanfudao	15.5	中国	教育
10	DJI Innovations	15.0	中国	製造
11	SHEIN	15.0	中国	電子商取引
12	Chime	14.5	米国	フィンテック
13	Grab	14.3	シンガポール	輸送サービス
14	Samumed	12.4	米国	ヘルスケア
15	Bitmain Technologies	12.0	中国	製造
16	Manbang Group	12.0	中国	サプライチェーン
17	BYJU's	12.0	インド	教育
18	JUUL Labs	12.0	米国	小売り
19	Robinhood	11.7	米国	フィンテック
20	Global Switch	11.1	英国	製造
21	Klarna	10.7	スウェーデン	フィンテック
22	UiPath	10.2	米国	人工知能
23	Nubank	10.0	ブラジル	フィンテック
24	Gojek	10.0	インドネシア	サプライチェーン
25	Ripple	10.0	米国	フィンテック
26	Aurora	10.0	米国	輸送サービス
27	Roivant Sciences	9.1	米国	ヘルスケア
28	Chehaoduo	9.0	中国	電子商取引
29	Coupang	9.0	韓国	電子商取引
30	Tanium	9.0	米国	セキュリティ

出所：CBインサイツ

ユニコーンはギリシャ神話に登場する一本の角を持った空想上の動物です。誰もその姿を見たことがないので、非常に珍しいという意味で、超弩級《どきゅう》の成長企業をそう呼ぶようになりました。

要するに新しい時代におけるグーグルやアップル、フェイスブック、アリババのような企業ということですから、次世代の覇権を握る予備軍と考えてよいでしょう。つまり、ユニコーン企業が多い国というのは、近い将来、グーグルやアップルに相当する企業を輩出する可能性が高く、世界経済に対して極めて大きな影響力を行使できる可能性が高いと判断できます。

米国の調査会社であるＣＢインサイツが行った２０２０年におけるユニコーン企業の調査（右ページ図参照）によると、世界には５１３社のユニコーン企業が存在しており、そのうち約半数の２７５社は米国企業。一方、中国も着実にシェアを伸ばしており、全体の約25％にあたる１２０社が中国企業でした。ちなみに日本企業の数は、４社のみでした。

中国のユニコーン企業の中には、ハードウェアの製造など従来型の企業もありますが、圧倒的に比率が高いのは、Ｅコマース（電子商取引）、フィンテック（金融とＩＴの融合）など、高い技術を持つＩＴ企業となっています。これは米国とほぼ同じような構成ですから、中国は着実に米国とならぶハイテク国家になっていることが分かります。

中国のＧＤＰはこれまで、高い成長率を実現してきましたが、とりわけ成長が著しかったのがこうしたハイテク系の産業分野です。中国は単に新興国として成長が急ピッチだったという面もありますが、技術立国としての地位も確かなものにしているのです。

中国産旅客機が空を飛ぶ日も近い

中国の技術開発は、ＩＴという新しい分野だけでなく、航空機や自動車など、従来型の工業分野でも顕著となっています。

これまで、航空機の製造は米ボーイングと欧州エアバスの独壇場となっており、他国のメーカーが参入するのは至難の業といわれてきました。大型旅客機を大量生産できるということは、極めて高い航空機製造技術を持っているということを意味しており、それだけで軍事的な優位性を示す効果をもたらします。

小型旅客機の分野では、国策として航空機の製造を進めてきたブラジルや、米国経済とかなりの部分で一体化が進んでいるカナダなど、米国と欧州以外でも一部の国が成功していますが、航空機市場全体から見ればごくわずかであり、大きな影響力はありません。先述したように日本の三菱重工も、ブラジルやカナダに続いて独自でジェット旅客機の製造を試みましたが、1機も納入することなく、事実上の撤退を余儀なくされています。それだけ航空機製造の分野に参入するのは大変なことなのです。

航空機製造分野への参入が難しいのは技術的な理由もありますが、もっとも大きな障壁となっているのは、航空当局から取得する型式証明です。航空機は安全が第一ですから、各国政府は航空機の運航に関して厳格な基準を定めており、当局の認可がなければ航空会社は航空機を飛ばすことができません。

航空機メーカーは製品を売りたい国の航空当局から、構造や強度が基準に合致しているのかという型式証明（開発時）や、騒音や排気などが各種の環境基準に合致しているのかという耐空証明を取得する必要があります（型式証明は耐空証明の一部）が、現実にはすべての国でゼロから申請しているわけではありません。航空機産業は米国を中心に発展してきたという経緯があり、この世界における米国の地位は圧倒的です。航空機の安全性についても、米国政府の基準が事実上の世界基準となっており、日本を含む各国の型式証明のほとんどは米国の制度に準拠しています。つまり、米国で型式証明を取得することができれば、ほぼ自動的に、どの国にも航空機を輸出することが可能であり、逆にいえば、米国の型式証明を取得できない場合、その航空機は世界の空を飛べません。このため航空機メーカー各社は米国の型式証明の取得に全力をあげることになります。国産初のジェット旅客機である三菱重工が撤退に追い込まれたのも、米国の型式証明がなかなか取得できなかったことが理由です。

米国を中心に回っている航空機産業の中で唯一の例外となっているのが中国市場です。中国は米国基準とは異なる独自の型式証明を採用しており、これを取得した航空機は中国国内では飛ばすことができます。中国市場は巨大ですから、国内市場だけでもある程度のビジネスが成立するからです。

このため中国の航空機メーカーは基本的に輸出は行わず、国内市場を中心に技術を蓄積してきました。時間はかかりましたが、中国はすでにグローバル市場で通用する旅客機製造能力を獲得しており、米国の型式証明取得も可能なレベルとなっています。

実際、中国最大手の航空機メーカー・中国商用飛機（ＣＯＭＡＣ）は、最新鋭機Ｃ９１９について米国から型式証明を取得し、グローバル市場で販売する計画を進めていました。

日本ではほとんど報道されませんでしたが、２０１７年11月に行われた米中首脳会談と前後して行われた協議では、米連邦航空局（ＦＡＡ）と中国民用航空局（ＣＡＡＣ）が、

「航空機や航空機関連部品の耐空性に関する相互協定」を締結しています。中国側がボーイング社の航空機を米国から購入する代わりに、中国製航空機の型式証明取得に道を開く取引が成立したというのがもっぱらの解釈です。

つまり中国がボーイング社のビジネスを支援する代わりに、中国製の航空機を世界に売るための手伝いを米国にお願いしたという流れですが、これは典型的な米中交渉と考えて差し支えありません。

米国はＦＡＡによる型式証明を武器に中国の動きを牽制し、ボーイングの製品をたくさん買ってくれるのなら、徐々に中国製航空機も市場に流通させるという取引を進めてきました。中国が自国製品を世界で売りたいという願望をうまく利用し、米国のルールに中国を引き寄せる戦略です。ところが、この基本戦略を大きく変える出来事が２つも発生し、この取引は事実上白紙に戻りつつあります。そのひとつは本書でもたびたび指摘しているトランプ政権の対中貿易戦争であり、もうひとつはボーイング７３７ＭＡＸの墜落事故です。

トランプ政権が中国を敵視する政策に切り換えたことで、ボーイング製航空機の輸入拡大や、中国製航空機の型式証明取得は、事実上、棚上げ状態となりました。加えてほぼ同じタイミングでボーイング７３７ＭＡＸの墜落事故が発生し、ボーイングは1年以上にわたって製造を停止するという事態に追い込まれました。２０２０年11月にはＦＡＡが運航再開を承認しましたが、この間にはコロナ危機まで発生し、航空機産業を取り巻く状況はすっかり変わってしまいました。

米国と中国の貿易戦争が続いている以上、中国の最新鋭機Ｃ９１９がＦＡＡからスムーズに型式証明を取得し、世界に輸出される可能性は低いと考えるのが妥当ですが、中国はすでに政治的・経済的に米国に遠慮する必要がなくなっています。

これまで米国への配慮から、中国の航空会社は自国製の航空機よりも、ボーイング製航空機の購入を優先してきました。しかし、今後は、米国製品を優先購入する理由がありません。中国における２０１９年の運航機数は３７１９機と米国と欧州に次ぐ3位ですが、２０３９年には約2倍の７７８４機まで増え、世界でも有数の航空機市場に成長する見通しです。つまり中国の航空機メーカーは米国や欧州に輸出しなくても、国内市場だけでビジネスを進めていくことが可能となりつつあるのです。

それだけではありません。

日本などの先進各国は米国との関係が最優先ですから、ＦＡＡの型式証明のない航空機を米国に無断で購入するという選択肢はあり得ないでしょう。しかしながら、中国から多額の経済援助を受けている新興国の場合、話は変わってきます。

最新鋭機C919は、米国の型式証明を取得できる見通しが高かった機体ですから、安全性という面ではボーイングやエアバスの製品と大きな違いはありません。

航空機はとても高価ですから、アフリカなどの新興国では中古機がよく利用されています。中国がこうした新興国に対して、安い価格帯で新型機の売り込みを図れば、それなりの市場を開拓できるかもしれません。中国製航空機のシェアが拡大した場合、型式証明を武器に世界の航空機市場をコントロールしてきた米国の覇権が崩れる可能性が否定できないのです。

この話の流れは、第3章で解説したデジタル人民元の展開とよく似ていることに気づかれた読者も多いでしょう。航空機産業という分野においても、米中分断が結果的に中国独自基準の台頭を許し、米国を中心とした従来型のスタンダードが崩れるという図式が成立しつつあるのです。そして、この話は、現時点において世界最大の産業である自動車業界にも当てはまりそうです。

中国がEV化に積極的な理由

中国は、国策として電気自動車（EV）へのシフトを強力に推進していますが、その理由のひとつは、中国は世界最大の二酸化炭素排出国であり、中国にとって環境問題が最大の弱点となる可能性が高いからです。

各国は脱炭素に向けて舵を切っていますが、脱炭素シフトというのは冷酷な国際政治そのものですから、二酸化炭素の排出量が減らない国は格好の攻撃対象となってしまいます（脱炭素シフトについては第6章で詳しく解説します）。中国は二酸化炭素の排出が外交上の弱点にならないよう、無理を承知でEV化を進めているわけです。

しかしながら、中国はこうした後ろ向きな理由だけでEV戦略を立案しているわけではありません。自動車産業がEVにシフトすると経済の基本構造が激変する可能性が高く、後発である中国メーカーが日米欧を追い越すチャンスが見えてくるからです。

自動車産業というのは、極めて規模が大きく、日本のような国にとっては経済の屋台骨となっています。自動車産業の規模が他の産業と比較して突出して大きい理由は、製品の単価が高く、かつ莫大な需要が存在するからですが、製品が複雑で、その製造に多くのリソースが必要であることも影響しています。

自動車産業の中核技術がガソリンエンジンに代表される内燃機関からEVにシフトすると自動車業界の産業構造は一変するといわれています。

EVにおける基幹部品はバッテリーとモーターですが、これらの部品はすでに大量生産されている汎用品であり、内燃機関と比較すると圧倒的にコストが安くなります。しかも、EVの場合、トランスミッション（変速機）など内燃機関に由来する駆動系、ラジエーターなどの冷却系、マフラーなどの排気系も多くが不要となりますから、EVの部品点数は従来型ガソリン車の10分の1以下になるとの予測もあります。

日本を代表する部品メーカーである日本電産の永守重信会長兼最高経営責任者（CEO）が、「2030年に自動車の価格は現在の5分の1程度になる」と発言して話題となりましたが、永守氏の指摘は決して誇張ではありません。部品点数が減り、しかも多くの部品が汎用品で構成された場合、価格が大幅に下落するのは工学的必然です。

もし、このような事態が発生した場合、自動車産業はIT業界でよく見られるような水平分業体制にシフトする可能性が高いといわれています。

産業構造には大きく分けて垂直統合と水平分業という2つの種類がありますが、垂直統合というのは、開発から部品の調達、製造、販売などを1社（あるいはグループ会社）がカバーするような形態を指します。完成品メーカーを頂点とする階層構造になるので垂直統合と呼ばれています。

一方、水平分業は、階層ごとに特定の企業が製品を提供し、どの完成品メーカーも共通化された部品を使って製造する形態のことを指します。

自動車産業は典型的な垂直統合モデルで、トヨタの傘下にある企業は、一部の例外を除いて他のメーカーと積極的に取引することはありませんでした。一方、パソコンは典型的な水平分業の産業構造になっており、どのメーカーのパソコンでも、CPUは米インテル製、ハードディスクドライブ（HDD）は米ウエスタンデジタル製もしくは米シーゲート製と、特定のメーカーが同じ仕様の部品を各社に提供しています。

自動車産業に低価格化の波が押し寄せた場合、完成車の製造・販売に特化するメーカーと、各社にEVの基幹部品を提供する巨大な部品メーカーという2層構造になる可能性が高いでしょう。またEVは構造が単純ですから、多くの企業が自動車の製造に新規参入すると考えられています。これまでトヨタをはじめとする自動車メーカーは、垂直統合であることを前提に、完璧なサプライチェーンを構築してきましたが、この図式が一気に崩れる可能性が高まっているわけですから、中国のような後発国にとっては大きなビジネスチャンスと映るのです。

中国のＥＶメーカーであるＢＹＤ（比亜迪汽車）は、もともとバッテリーを開発する部品メーカーでしたが、その後、本格的にＥＶ市場に参入し、現在では有力なＥＶメーカーの一社となっています。ＢＹＤは２０１５年からすでに日本市場に進出しており、京都市や那覇市、盛岡市などで同社製ＥＶバスが走っているほか、各地のバス会社が続々と中国製ＥＶバスの導入を検討しています。中国製自動車は目立たないところから、着々と日本市場に根を下ろしていると見てよいでしょう。

商用車両というのは自家用車とは異なり、事業者がビジネスで使うものですから、信頼性や経済性などが厳しくチェックされます。単に価格が安いといった理由だけでは決して採用されません。また、これらの車両はすべて国土交通省の認可を受ける必要がありますから、劣悪な製品ではそもそも販売することは不可能です。

ガソリンエンジンを使った車両の場合、このようなペースで中国メーカーがシェアを拡大することは難しかったと考えられますから、中国にとっては、困難であってもＥＶ化を進める価値があるわけです。

中国が自動車産業の変化をチャンスと捉える理由はそれだけではありません。自動車産業はＥＶ化と同時に自動運転へのシフトが進んでおり、自動運転を通じてクルマとＩＴサービスが結びつくことで巨大な新産業が生み出される可能性が高まっているからです。

自動運転が中国車の拡大を後押し

数年以内に本格的な自動運転サービスが登場するのは確実といわれていますが、自動運転が実現すると、消費者のクルマに対する概念は１８０度変わる可能性があります。現時点では、運転手を雇ったり、タクシーに乗ったりしない限り、自分でクルマを運転しなければなりませんから、自動車の使われ方はほぼ画一的なものとなっていました。

運転している間は、基本的にはスマホの操作や、映画鑑賞はできませんし、目的地に到着したら駐車場を確保しなければなりません。ところが自動運転システムが搭載されていれば、睡眠を取ることもできますし、仕事やネット閲覧など、移動している時間を有効活用できます。また、目的地に駐車場がなくても、自動車に対して駐車場を探して入庫し、同じ場所に戻ってくるよう指示しておけば、自分が用事を済ませた後には、そのまま乗車して家に帰ることも可能となります。家に車庫を確保する必要もありませんから、クルマに乗る頻度がそれほど高くない人は、10人くらいで1台のクルマをシェアし、必要な時だけ呼び出して使うという利用方法も定着すると思われます。

　ビジネスでの利用も激変するでしょう。

　自動運転で車両を動かせるので、クルマを使った移動販売や各種サービス提供が極めて容易になります。トヨタもこうした変化を前提に、「e-Palette Concept」というコンセプトカーを発表しています。

「e-Palette Concept」は小型バスのような箱形の形状をしたＥＶで、車内は多目的に利用できるよう柔軟に設計されています。具体的には、移動型小売店、屋台（フードトラック）、移動型レンタルオフィス、宅配デリバリー、移動型仮眠施設など、多くの利用形態が想定されているようです。

　つまりクルマというのは所有して運転するものから、利用するものへと変化する可能性が高く、この変化はすべてＩＴサービスの拡大とセットになっています。移動中に映画を見るにせよ、メールを送るにせよ、ＩＴサービスとの連携が必須であり、移動販売をするにしても決済などの面でＩＴ事業者の支援が必要です。

　こうした状況から自動車メーカー各社は、ＩＴ関連の開発力を強化していますが、逆の動きも顕著になっています。自動車がＥＶ化されれば、構造が簡単になり、自動車メーカー以外の企業も自動車を製造することが可能となります。自動運転時代においてはＩＴサービスとの連携が必須ですから、ＩＴサービス事業者が自動車を作ってしまった方が話は早いでしょう。実際、中国の巨大ＩＴ企業である百度（バイドゥ）や滴滴出行（ディディ）は、すでに自動車産業進出を表明しており、近く本格的な生産に乗り出す予定です。米アップルも近くアップルカーを販売する予定と報道されています。

中国は14億人もの人口を抱えています。自動運転システムを通じてインターネットに接続された大量の自動車が走り回り、利用者のネット利用情報や購買情報、自動車の走行情報がすべてＡＩで処理されるわけですから、想像を超える巨大なビジネスを生み出すかもしれません。

中国が世界のあらゆる情報を牛耳る

戦後の70年間はモノが世界を行き来することで経済が成長する「工業社会」でした。しかし、これからの時代は、情報や知識が行き来することで経済が回る「情報経済社会」に移行するといわれています。高度なモノ作りの象徴であった自動車に価格破壊が発生し、ネットを使った各種サービスの拠点になるという変化は、まさに情報経済への移行を象徴

各国の国際的なデータ通信量

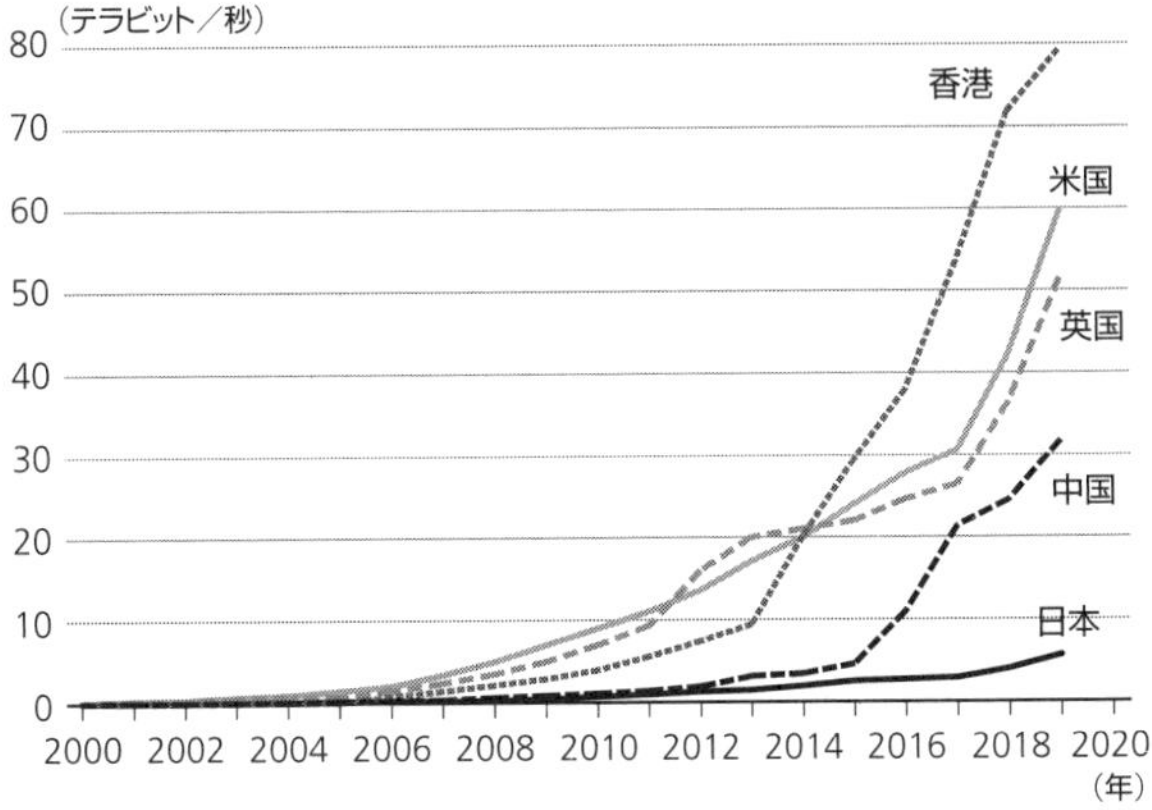

出所：ITU（一部筆者推定）

する出来事といってよいでしょう。この新しい時代において覇権を握るのはモノ作りではなく情報ということになりますが、中国のＩＴ企業は想像を超えるペースで情報の活用を進めており、この分野においても欧米企業はすでに中国の後塵を拝しています。

第２章でも解説しましたが、経済をリードする国には、人やモノ、そして情報がたくさん集まってきますから、米国と中国には無数の航空機や船舶が発着しています。しかし、今後は、社会のＩＴ化が進みますから、人やモノに加えて、いかに多くの情報が集まってくるのかが国家覇権のカギを握ります。これからは、航空機や船舶と同様、行き来するデータが国力を決める時代となるのです。

前ページの図は、インターネット上で国境を越えて行き交うデータ量を比較したグラフです。

国際的に影響力の高い国には、インターネットを通じて多くの情報が集まってきますから、行き来するデータ量が多いほど、対外的な影響力も大きくなると考えてよいでしょう。

これまでの時代、データ通信量で圧倒的な影響力を持っていたのは米国と英国でした。有力なＩＴ企業は米国に集中していますし、英国は金融サービスなどデータを活用して高い付加価値を提供する企業が多く、米国に匹敵する水準のデータを海外とやり取りしていました。

かつての英国は今の米国と同様、世界を支配する覇権国家でしたが、今では規模の小さい先進国のひとつでしかありません。しかし、英国は経済規模をはるかに超えるレベルの国際的な影響力を持っています。英国が米国と並ぶデータ大国であるという現実は、その秘密を解くカギとなりそうです。

米国と英国が独占していた情報覇権ですが、ここでも中国の台頭が目立ちます。他の指標と同様、２０１０年代から香港のデータ量が急激に伸び、中国本土も２０１０年代の後半から顕著にデータ量を伸ばしています。香港企業は、基本的にグローバル市場における中国の窓口としての役割を果たしてきましたから、香港が諸外国とやり取りするデータは、基本的に中国がやり取りしているデータと考えて差し支えありません。

中国は今でも国内のネット接続を制限していますが、それでも近年は中国本土と外国のやり取りが急激に増えています。これは東南アジアなど、中国との関係が深い国や地域との関係が緊密化していることをうかがわせます。

香港と中国本土を足し合わせた数字で見ると、米国と英国の約2倍ですから、中国はすでに情報経済圏において世界のトップに立っています。今後、自動運転システムやＡＩを使ったサービスが普及すれば、中国はさらに多くの情報を集め、その分だけ他国に対して優位に立つ可能性が否定できないのです。

第5章 中国の軍事力を冷静に分析すると

尖閣諸島問題を引き合いに出すまでもなく、近年、中国の軍事的脅威が増していることは、多くの日本人にとって共通認識だと思います。

戦争と経済は密接に関係しており、強固な経済基盤がなければ戦争を遂行することはできません。筆者は軍事の専門家ではありませんが、以前から継続的に安全保障と経済の関係について分析を行っており、『「教養」として身につけておきたい戦争と経済の本質』という著書もあります。第5章では中国の軍事力について、主に経済面から検証していきます。

全世界が注目した中国のコロナ対策は軍事の象徴

戦争を遂行するためには、多くの資金が必要となります。大規模な戦争がない場合でも、日常的に軍隊を維持していくためには相応の費用がかかりますから、基本的に強い軍隊を持てるかどうかは、すべて経済力にかかっています。

これは単純にお金だけの問題にとどまるものではありません。

ビジネスが活発な国は、生存に不可欠な製品やサービスだけでなく、エンタメやグルメなど、必要不可欠ではない製品やサービスの取引も活発です。人間が生きていくために必須とはいえないモノやサービスまで、滞りなく国民に届けられるということは、道路や鉄道、通信、倉庫、決済などのインフラに十分な余力があることを意味しています。

こうしたビジネスインフラが整っている国は、イザという時にはその能力を戦争遂行に振り向けることができますから、極めて高い戦闘能力を発揮します。経済的に豊かな国が圧倒的に戦争に強いというのは、安全保障の専門家の間ではごく当たり前の常識です。

ちなみに軍事の世界では、軍隊の移動や物資の調達・輸送に関することを兵站《へいたん》と呼びますが、兵站という言葉の英訳はロジスティクスです。ビジネスの世界では物流の分野をロジスティクスと呼びますが、これは軍隊用語から派生した概念です。こうしたことからも、日常的なビジネスインフラと戦争遂行インフラは共通であることがお分かりいただけると思います。

戦争との関わりが密接という点では、新型コロナウイルスの感染拡大で注目を集めた感染症学（あるいは疫学）も同じように捉えることができます。

一般的に感染症は、人や動物が媒介するものですから、人やモノの移動が活発になると感染が拡大しやすくなります。人やモノの移動は経済活動と比例していますから、感染症の拡大経路というのは、経済活動の状況と密接に関連します。

新型コロナウイルスの感染拡大について中国政府が正式に発表を行ったのは２０２０年1月9日でしたが、米国の疾病予防管理センター（ＣＤＣ）は、中国の正式発表よりも早い段階から感染拡大の可能性について情報を公開していました。また、ＡＩを使ったシミュレーションを行っているカナダの調査会社は、２０１９年12月の段階で、中国の次はタイのバンコクで感染が拡大するというかなり正確な予想を行っています。

タイは東南アジアの中で中心的な役割を果たす国のひとつですが、２０１８年における最大の輸出先は中国であり、日本や米国に対する輸出額を上回っています。輸入については中国への依存度がさらに高く、全体の約20％が中国からの輸入で占められています。タイには華僑出身の国民が多く、特に経済界ではこうした人たちが濃密なネットワークを構築しているのはよく知られた話です。

国内の権力闘争によって首相の座からは下ろされてしまいましたが、元首相であるタクシン氏や、彼の妹で、同様に首相を務めたインラック氏も華僑出身です。つまりタイという国は地政学的に見た場合、すでに相当程度、中国の影響下にあると見なすことができるわけですが、疫学上のシミュレーションというのは、まさにこうした国家間の経済関係を分析することに他ならないのです。

疫学と軍事の関係はそれだけではありません。感染症の拡大を防ぐための措置というのは、軍隊のオペレーションと非常によく似ており、感染症対策をスムーズに実施できる国は戦争遂行能力が高いとされています。また国家が生物兵器で攻撃された場合の対処法も、一般的な感染症対策と大きくは変わりません。

先ほど、例にあげたＣＤＣは、感染症などの対策を実施する官庁ですが、国防総省などと同様、安全保障に関する組織であると見なすことができますし、実際、米国や英国では、感染症関連の政府機関は安全保障を担う一部門として認識されています。

こうした視点で今回のコロナ危機を分析すると、様々なことが分かってきますが、中国が初期段階で行った各種の対策は、各国の安全保障関係者の大きな注目を集めたといわれています。

中国は一部地域で新型コロナウイルスによる感染が確認されると、感染を封じ込めるため、前代未聞の物量作戦を展開しました。

特に、感染拡大の中心地だった湖北省武漢市では、１０００～１５００床クラスの巨大病院をわずか10日という短期間で建設し、コロナ患者の治療に当たりました。病院の建設には、全国から重機や作業員、医療機器などが投入されたほか、1月末時点で6000人の医療関係者が武漢に入り、追加で4000人の医療チームが編成されるなど、人的リソースも集中投入されています。

中国の現時点での航空輸送力（輸送した旅客者数に、搭乗した距離を乗じたもの）は、9513億人キロとなっており、日本（1933億人キロ）の5倍近くの能力があり、超大国である米国の水準に匹敵します。国土が広いので当然といえば当然ですが、道路延長は日本の13倍、乗用車の保有台数は日本の3倍、鉄道による貨物輸送量に至っては日本の90倍の能力を持っています。

中国がこれだけの物量作戦を展開できたのは、巨大な物流インフラが機能しているからですが、これは中国経済が拡大し、日常的なビジネス活動が極めて活発だったからこそ実現できたことです。そして、これだけの経済余力が存在しているということは、中国はすでにかなり高いレベルの戦争遂行能力を備えていると見なせるでしょう。各国の安全保障関係者が中国のコロナ対策に着目した理由もそこにあります。

日本にとっては、すぐ近くに強大な戦争遂行能力を備えた国が台頭しているということですから、極めて重大な脅威であると認識しなければなりません。

ちなみに筆者は２０２０年の3月時点において、今、書いたこととほぼ同じ内容のコラムを「現代ビジネス」誌に寄稿しているのですが、北京大学の教授がこの記事を取り上げたことから、中国国内のＳＮＳ「微博（Weibo）」「微信（WeChat）」で翻訳記事が拡散。中国の国営テレビが取り上げるなど、中国国内でも大きな反響を呼んだようです。

筆者が「現代ビジネス」に寄稿した記事は、あくまで「中国の脅威が高まっているので、日本は警戒すべきだ」という内容ですが、中国にいる知人によると、中国にも日本のネトウヨのような人たちがたくさんいて、記事を自国に都合良く解釈し、ネット上では「日本の世論が中国の戦争遂行能力に屈服した」という話にすり替わっていたそうです。

ネットの世論など、どの国でも同じようなものかもしれませんが、少なくとも中国国内において、自国の経済力と戦争遂行能力の関係について関心が高まっているのは間違いないようです。今後、中国が経済規模をさらに拡大させていけば、それに比例して中国の軍事的なプレゼンスも高まっていくことが予想されます。

中国はまだまだ軍事力を拡大できる余地がある

では、現時点における中国の軍事力はどの程度の水準なのでしょうか。

各国の軍事費比較（2019年）

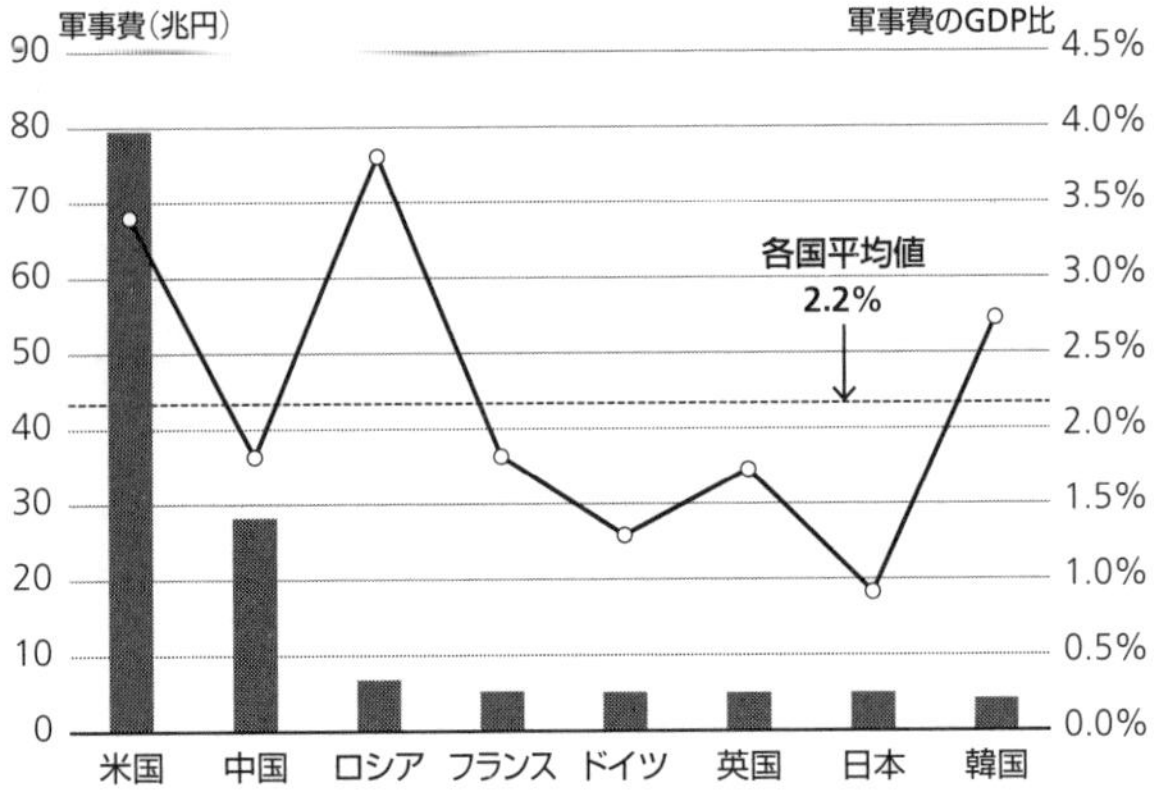

出所：SIPRI、IMFから筆者作成

上の図は、米国、中国、ロシア、フランス、ドイツ、英国、日本、韓国の8カ国の軍事費とGDPの関係を示したグラフです。

よく知られているように、米国は世界最強の軍隊を持つ国であり、年間80兆円もの金額を軍事費に費やしています。現代の戦争は、高度な技術を駆使した正面装備によって勝敗が決まりますから、投入する金額と軍隊の強さはほぼ比例すると考えて差し支えありません。米国が名実共に圧倒的な戦争遂行能力を持っていることについて否定する人は誰もいないでしょう。

旧ソ連崩壊後の国際社会は、米国が他を圧倒する軍事力を維持することでパワーバランスが成り立っていましたが、その均衡を崩そうとしているのが中国です。

中国の年間の軍事支出は30兆円弱と米国の半分以下ですが、米国以外の国との比較という点では、すでに圧倒的な立場となっています。ロシアは軍事大国というイメージがありますが、軍事費の総額では、米中の規模にはまったく及びません。安全保障分野における大きな枠組みとしては、米中２カ国とそれ以外の国という図式が鮮明になっています。

中国の軍隊は、かつては人海戦術などといわれてきましたが、第４章でも解説したように中国はすでに世界トップレベルの技術力を持っており、中国の軍事技術は米国に匹敵すると主張する軍事専門家も増えています。

少なくとも軍事費の絶対金額という点では、日本とは比較にならない規模になっているわけですが、経済的な余力という点ではどう考えればよいのでしょうか。

北朝鮮のように半ば国民を飢えさせてもよいという国であれば話は別ですが、一定以上の生活水準がある国は、むやみに軍事費だけを拡大することはできません。結果的に各国の軍事費はＧＤＰの一定割合に収まってくることになります。

前ページの図の折れ線グラフは、各国の軍事費のＧＤＰ比率を示したものです。

今回、取り上げた８カ国におけるＧＤＰに対する軍事費の平均比率は２・２％となっています。全世界におけるＧＤＰ総額に対する軍事費総額の比率も約２％ですから、このあたりが標準的な水準と考えてよいでしょう。

取り上げた８カ国の中で、２・２％の水準を大きく上回っている、つまり、経済規模に比して軍事費の比率が高いのは、米国（３・４％）、ロシア（３・８％）、韓国（２・７％）の３カ国になります。一方、日本やドイツは平均を大幅に下回っているのですが、実は中国も１・８％と平均値より低い水準を維持しています。

つまり中国にはまだまだ余裕があるということですが、これは日本にとって不都合な現実といってよいでしょう。

先ほど、中国の軍事費は米国の半分以下であると述べましたが、中国が米国と同じＧＤＰ比まで軍事費を増大させた場合、中国の軍事費は約２倍となり、米国の水準に限りなく近づきます。本書では、２０３０年頃に中国のＧＤＰが米国を超える可能性が高いと予測していますが、そうなると理屈上は軍事力という点においても、中国が米国を上回る可能性が否定できないことになります。

日本国内では中国に対抗するため、防衛費を増額すべきだという意見をよく耳にします。しかしながら、軍事費のＧＤＰ比率や日中のＧＤＰ水準の違いを考えた場合、15年前であ

日本と中国の軍事費とGDP比率の推移

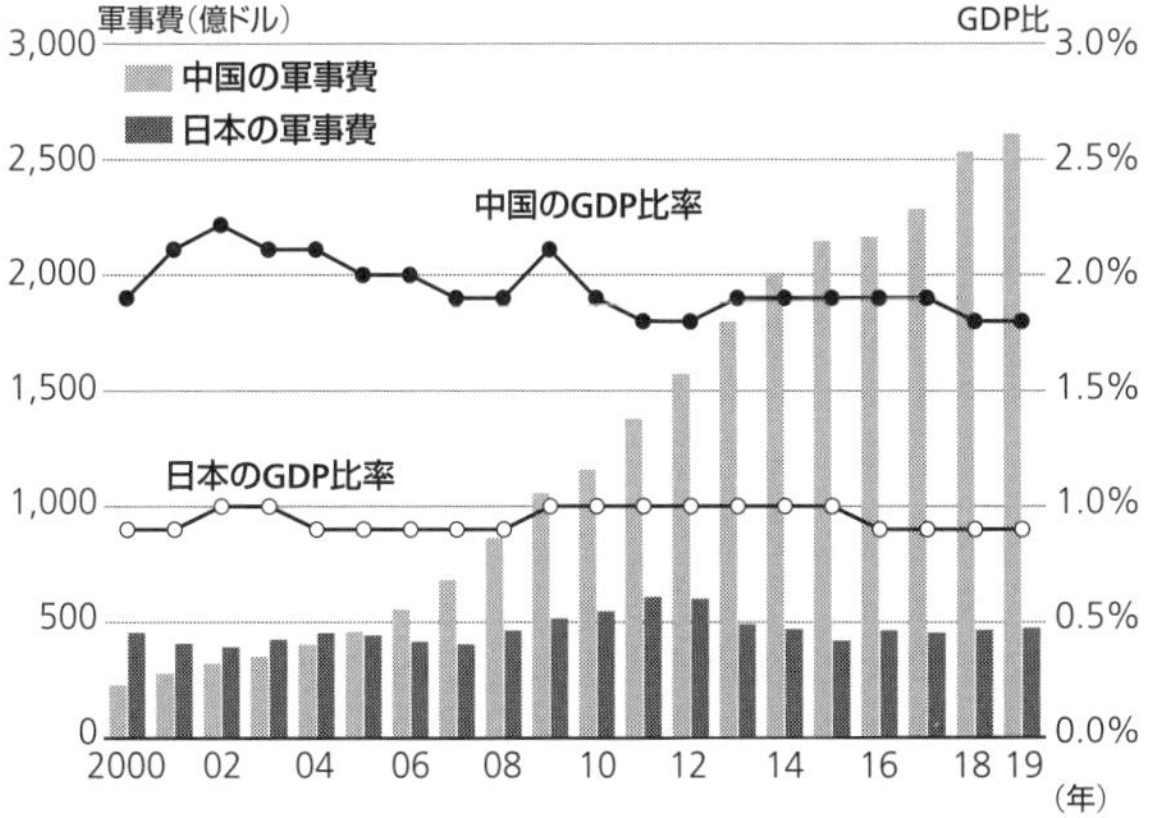

出所：SIPRI、IMFから筆者作成

れば話は別ですが、今からでは遅すぎるというのが現実といわざるを得ません。

上の図は日本と中国の軍事費の推移を示したものです。

日本と中国の軍事費は２０００年代の前半までは日本の方が多いか、ほぼ拮抗している状態でした。ところが２０００年代の後半から中国の軍事費はうなぎ登りで増加しており、今では中国の５分の１の水準でしかありません。

注目すべきなのは、中国は軍事費の絶対額こそ増えていますが、ＧＤＰに対する軍事費の割合はむしろ低下しているという点です。２０００年代の前半における中国の軍事費のＧＤＰ比は２％を超えていましたが、現在は１・８％台まで下がっています。中国の軍事費が急激に伸びたのは、経済規模が大幅に拡大したことが原因であり、決して無理をして軍事費を増やした結果ではないのです。

日本のＧＤＰは過去20年ほとんどゼロ成長でしたが、諸外国は同じ期間でＧＤＰを１・５倍から２倍に拡大させました。中国の成長率は別格としても、米国や英国、ドイツなどと同じ成長率を実現できていれば、日本の防衛費は黙っていても、今の２倍の水準になっていたはずです。日本では、１９７６年に三木内閣が、防衛費をＧＤＰ（当時はＧＮＰ）の１％以内に収めるという閣議決定を行い、それ以後、防衛費は、常にＧＤＰの１％以内になるよう調整されてきました。１９８６年に中曽根内閣がこの制限を撤廃し「総額明示方式」と呼ばれる防衛予算策定方式を導入しましたが、やはりＧＤＰの約１％枠内という慣例は続いています。

仮にこの１％枠を撤廃して２％まで防衛費を拡大し、同時に諸外国並みの経済成長を実現できていれば、日本の防衛費は今の４倍だった計算ですから、中国と同等とまではいかなくても、中国に十分対抗できるだけの力を備えていた可能性が高いでしょう。

経済成長できなかったことは、国民生活が豊かにならなかっただけでなく、安全保障の面でも致命的な悪影響をもたらしたことが分かります。

日本の国防力低下の原因は女性活躍の進まなさ

日本が過去20年まったく経済成長を実現できなかったのは、消費増税が原因であるという主張をよく耳にしますが、経済学的に見るとその理屈は成立しません。

消費税をはじめとする増税政策は消費を冷やす効果をもたらすことがありますが、徴収した税は政府支出という形で国民の所得になりますから、増税そのものが経済成長を阻害することはありません。実際、欧州や米国（州によって異なる）は10％から20％という極めて高額の消費税率ですが、経済は順調に成長しています。

仮に日本が防衛費のGDP1％枠を撤廃する場合には、あらたに財源が必要ですから、消費増税を実施しないという選択肢は存在しなかったはずです。加えていうなら、防衛費が増額されれば、関連産業には巨額の支出が行われますから、むしろ景気刺激策になった可能性も高いでしょう。

日本が過去20年間経済成長できなかったのは、ビジネスのグローバル化やIT化といった新しい潮流に背を向け、ビジネスモデルの転換を行わなかったことが最大の原因です。

人口が減っているにもかかわらず、女性の社会進出を促進せず人材不足に陥ったことや、長時間残業に代表されるような効率の悪い雇用環境を改善しなかったこと、大学無償化など教育支援策を後回しにしてきたことなどが重なり、長期的な経済の低迷を招いてしまいました。

一部の人は女性の社会進出など安全保障とは何の関係もないと思ったかもしれませんが、そうではありません。女性の社会進出を促すことが、国防力の増大につながることは世界最強の軍隊を持つ米国の事例を見ても明らかです。

米国では幅広い分野で女性の登用が進んでいますが、とりわけそうした傾向が顕著なのが防衛産業です。防衛産業における女性の登用率は極めて高く、米国の軍需関連企業の約半数において女性が要職に就いていますし、ロッキード・マーチンやゼネラル・ダイナミクスでは何と女性がトップに就任しています。

米国でも一般消費者を対象としたビジネス分野では、対人関係が成果につながるケースがあり、女性よりも男性の方が出世しやすいという面が残っています。しかし、防衛産業は基本的に政府が顧客であり、ノリや雰囲気でビジネスをすることは絶対にありません。政府が定めた装備品の調達計画にしたがって緻密にプロジェクトを進めていく必要がありますから、女性が能力を発揮しやすいといわれています。

安全保障問題に強い、米国の著名シンクタンク「ランド研究所」が２０２０年12月に出した日本の防衛力に関する報告書では、日本の自衛隊は女性の活用が進んでおらず、人材面で課題を抱えていると指摘しています。女性を積極的に採用しないことは、軍の戦闘能力低下につながるとハッキリ示しているのです。

軍事費と経済、そしてビジネスに密接な関係があるという現実を考えた場合、日本が過去20年間、成長する努力を怠ってきたのは、本当に残念なことです。

ITベンチャーが少ない日本は国防力も低下

もうひとつ、中国の軍事力について考察するにあたって避けて通れないのは軍隊のＩＴ化です。近年、軍事技術のハイテク化が急ピッチで進んでおり、特にＩＴ関連の技術力と軍事力はほぼ一体の関係となっています。

軍事衛星や戦闘機などが高度なハイテクのかたまりであることは、誰でも理解できると思いますが、ハイテク化がもたらす影響はそれだけにとどまりません。最前線で活動する歩兵の装備についても急速にＩＴ化が進んでおり、ＩＴスキルがない人は、兵卒として使いものにならないという事態が進行しているのです。

米国は巨大な軍隊を運営するため、毎年、多くの若者を兵卒として採用していますが、年々、人数の確保が難しくなっているといわれています。その理由は志願する若者の学力です。米国では、軍隊に志願するためには、身長や体重といった基礎的な要件に加え、軍が実施する学力テストに合格することなど、いくつかの条件をパスしなければなりません。

ところが、軍に志願する17歳から24歳の若者のうち、約7割が何らかの条件に抵触し、本人が入隊を志願しても軍に入れない状態であることが明らかとなりました。最強の軍隊を持つ米国としては大問題であり、米国ではちょっとした社会問題にもなりました。

入隊できない理由としてもっとも多いのが身体的・学力的な問題で全体の約3割を占めるそうですが、特に問題となっているのが数学力と読解力です。先ほど説明したように、米軍は近年、兵器のIT化を急ピッチで進めています。最前線で戦う兵卒も、各人がネットワークに接続されたタブレットなどを持ち、IT機器を駆使しながら、リアルタイムで状況判断や意思決定を行うことが求められます。こうしたハイテクな装備を使いこなすには、一定以上の数学力や読解力が必要となりますが、一部の若者はこの基準をクリアできないため、本人が希望しても軍に入れないのです。

先進各国では大学の無償化など、ほぼ全国民に大学教育を施せるよう、教育改革を進める流れが顕著となっていますが、日本はあまり積極的ではありません。大学の無償化には反対という意見も根強く、日本において大学を基礎教育化するのはかなり難しそうです。

諸外国が大学教育の拡大を目指しているのは、新しい時代に対応した人材を育成するという目的もありますが、実は兵隊として活躍できる人材を確保するという隠れた意味合いもあるのです。教育の支援策には様々な意見があると思いますが、大学教育を軽視すると防衛力の低下につながるという現実についてはよく理解しておいた方がよいでしょう。ちなみに先ほど紹介したランド研究所の報告書では、日本における軍事面でのドローン活用について「真剣に取り組んでいない」とかなり手厳しく批判しています。

安全保障とＩＴの融合がもっとも顕著なのは、当然といえば当然ですが、諜報（インテリジェンス）の分野でしょう。

すでに多くの人が認識していると思いますが、安全保障の分野では、高度なＩＴを駆使した諜報活動の重要性が日増しに高まっています。

ＩＴを駆使した諜報活動に特徴的なのは、民間技術との垣根が極めて低いことです。

民間で開発された技術が軍事転用されたり、軍事目的で開発された技術が民間に生かされたりするケースはたくさんあります。軍事目的でも民生用でも使われる技術のことをデュアルユース・テクノロジーと呼びますが、誰もが日常的に利用しているインターネットはその代表といってよい存在です。インターネットで使われているIPプロトコルは、もともと米軍の軍事通信プロトコルとして開発されました。

しかしながら、軍事技術には民間とは大きく異なる部分もあり、両者に壁が存在しているのも事実です。

筆者の大学での専攻は原子力工学なので、同窓生の多くは技術者として活躍しています。防衛産業に就職した友人の一人は、自らが担当する製品（兵器）について、「純粋に技術という点ではあまり面白い仕事とはいえない」と述べていました。

兵器というのは、兵隊の命がかかっていますから、信頼性が絶対的な要件となります。最新鋭の技術を駆使した製品を開発することは技術者にとって最高の喜びですが、兵器の場合には、信頼性が完全に担保されている1〜2世代前の古い技術を優先せざるを得ないことが多いそうです。国の安全を担っているという誇りはあるものの、技術的な好奇心は少し抑制しなければならないというのがこの業界の「お作法」というわけです。

ところが、こうした常識が当てはまらないのが諜報活動の分野です。

米国にはNSA（国家安全保障局）に代表されるようなITをベースにした巨大な課報組織がありますが（NSAの活動はいわゆるスノーデン事件で一躍有名になりました）、近年は民間のIT企業が、AIを駆使することで公的な諜報機関を上回る能力を発揮し、政府の活動を支援するようになっています。

2020年9月にニューヨーク証券取引所に上場したパランティア・テクノロジーズはこうした民間諜報機関を代表する企業といってよいでしょう。

パランティアは、決済サービスであるペイパル創業者のピーター・ティール氏が設立した企業で、ペイパル時代に開発した不正送金を見抜く技術が同社の基礎になっています。同社の主な顧客はCIA（米中央情報局）やFBI（米連邦捜査局）など諜報機関や捜査機関であり、CIAはファンドを通じて出資も行っています。

同社は高度な情報処理プラットフォームを持っており、公的なデータベースに加えて、SNSなどから収集したデータを加えることで、高度な個人情報データベースを作成しています。詳細は当然のことながら公表されていませんが、氏名が分かれば、今、どこで何をしているのか、仕事上でどのような人とつながりがあるのか、身長や体重など身体的特徴までたちどころに情報が得られるといわれています。国内のテロ対策に用いる場合には、プライバシーなど人権問題に抵触する可能性がありますが、外国のキーマンを対象にした場合はその限りではありません。

一方、中国にも同様の企業が存在しており、同じような手法を使って調査対象国の国民をデータベース化しています。相手国のキーマンについては、食べ物の好みなどかなり詳細な情報まで網羅しているともいわれており、お互いにこうしたＩＴインフラを駆使して、情報収集合戦をしているというのが実態です。

一連の諜報活動の是非はともかくとして、こうした最先端の活動を支えているのは、インターネットやＡＩといった民間の最先端ＩＴ技術です。

一昔前であれば、政府が予算を確保して研究開発を進めれば、ある程度の軍事技術を開発することができました。しかし、こうした高度なＩＴを駆使した仕組みは、ＳＮＳやフィンテックなど、純粋な民間企業の競争によって生まれてきたものであり、政府が育成したものではありません。加えていうと、仮に政府が独自に開発しようとしても、技術の特性上、実現はほぼ不可能でしょう。

中国のアリババに対しては中国政府が警戒感を示し、圧力を加えているくらいですから、決して政府と一体になってこうしたテクノロジーが開発されたわけではありません。

逆にいえば、国内にこうした画期的なＩＴベンチャー企業が存在しない国は、次世代の軍事技術において致命的な遅れをとることになります。第４章では、ユニコーン企業の半数を米国企業が、４分の１を中国企業が占めており、日本企業はランキングにほとんど入っていないという現実について説明しました。

民間のＩＴベンチャー企業に対しては「軽い」というイメージを持つ人も多いと思いますが、こうした企業がたくさん生まれ、成長する環境でなければ軍事技術も遅れてしまうというのが厳しい現実なのです。国内では「政府が総力をあげて新技術を開発せよ！」と勇ましい主張をしている人がいますが、いかに時代遅れになっているのかがお分かりいただけると思います。

要衝掌握の野心をむき出しにする中国

では、中国は強大な経済力や技術力、そして軍事力を生かして、最終的に何を実現しようとしているのでしょうか。覇権を握ろうとする国家の振る舞いについて考察するにあたって、どうしても必要となるのが地政学的な知見です。

地政学とは、地理的な位置関係が、国際関係や各国のパワーバランスにどのような影響を及ぼすのかを探る学問分野です。地政学の基礎を築いたのは、英国の地理学者で政治家でもあったマッキンダーという人物ですが、マッキンダーが提唱した地政学には2つの重要な視点があります。ひとつは、地球上にある大陸の位置づけです。

私たちは社会の授業で、世界には5つの大陸があると教えられたと思いますが、マッキンダーによると、地球上で重要な大陸はユーラシア大陸ひとつしかありません。

地政学的に見ると、世界はユーラシア大陸を軸に構成されており、アメリカ大陸やアフリカ大陸は、ユーラシア大陸を取り巻く島に過ぎないと考えます。さらにマッキンダーは、ユーラシア大陸の中でも、中国の西部（チベットなど）やモンゴル、アフガニスタン、さらにはロシア南部から東欧の一部にかけての地域をハートランド（心臓地帯）と呼び、特別な場所と位置づけました。

なぜこの場所が重要なのかというと、このエリア一帯は、河川を使って太平洋やインド洋、地中海に出ることができないという独特の地理的特性を持っているからです。国家のパワーバランスは基本的に経済活動で決まりますから、既存の交通インフラから切り離されている地域は、国家間のパワーバランスにおいても、隔離された状況に置かれることになります。ここが押さえておくべき第一のポイントです。

地政学におけるハートランドとリムランド

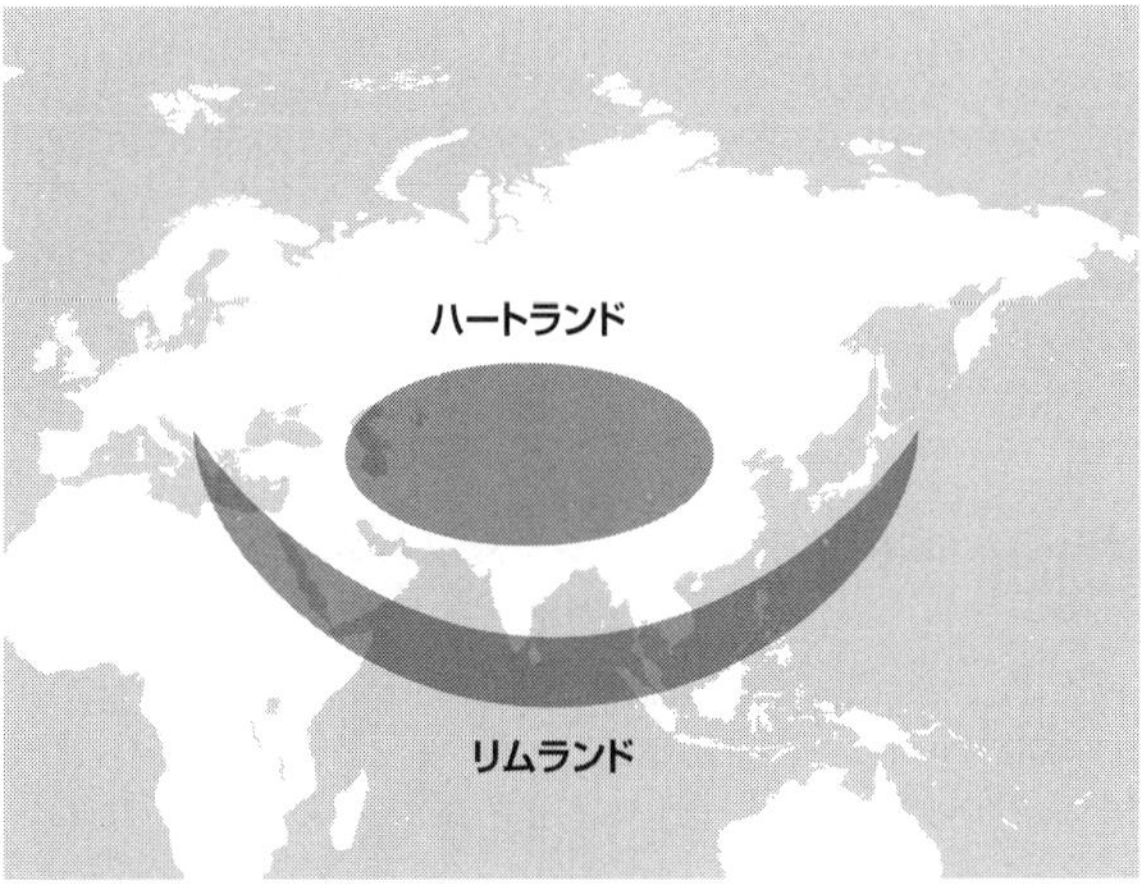

マッキンダーが提唱したもうひとつの重要な概念が、シーパワーとランドパワーです。シーパワーとは海軍力を基本として、海上輸送システムをスムーズに運営できる能力のことを指します。

米国や英国は、海によってユーラシア大陸から分断された場所にあるため、典型的なシーパワーの国ということになります。かつての英国や現在の米国は、世界の海に自国の艦隊を展開しており、ほぼ全世界の制海権を確保しています。これによって、両国が提唱する自由貿易が担保され、石油などのエネルギー輸送も自由に行えるようになっています。

つまりシーパワーの国は、海軍力を武器

に、自由貿易を活発に行い、オープンな経済を運営することで国力を発揮する国ということになるでしょう。これに対してランドパワーは陸軍力を基本として、陸上交通システムを構築し、それをスムーズに運営できる能力のことを指します。ランドパワーの国は、道路網や鉄道網などを使って自国の勢力を拡大しようとします。ロシアは海洋に出るための港が少なく、基本的には陸路で覇権を拡大しようとしていますから、典型的なランドパワーの国です。マッキンダーは、シーパワーの国とランドパワーの国は、置かれている地政学的状況が異なっていることから、極めて相性が悪く、利害が相反すると考えました。

先ほどのユーラシア大陸を中心とした世界観では、すべての海洋から切り離されたハートランドは究極のランドパワー地域ということになります。したがって、このエリアを強力なランドパワーの国が支配した場合、ユーラシア大陸全体がその影響下に置かれ、海洋に接する周辺の国と極めて大きな利害対立を引き起こす可能性があります。

これがマッキンダーの提唱した地政学における基本的な認識です。そして、ランドパワーとシーパワーがぶつかる三日月形のエリア（のちにリムランドと呼ばれるようになりました。前ページ図参照）は、常に不安定で紛争のリスクを抱えることになります。リムランドは、東アジアから中央アジア、中東から東欧にかけての一帯を指しますが、ここは常に何らかの国際紛争を抱える地域であることが分かります。

では、こうした地政学的な視点に立った場合、中国はどのように位置づけられるでしょうか。中国という国は、国土の西側がハートランドに属する位置にあります。しかし中国西端にあるチベット自治区や新疆ウイグル自治区は、もともと中国ではなく、中国が軍事力を使って無理矢理、自国の領土にした地域です（このためチベットやウイグルでは今でも独立運動があり、中国による弾圧が続いています）。

中国がチベットやウイグルをここまで重視しているのは、両地域が地政学上のハートランドに属しており、ここが他国の影響下に置かれることは、地政学的に見ると、致命的な事態となるからです。

ただ、現実にはチベットの先にはエベレストで有名なヒマラヤ山脈があり、ウイグルの先には天山山脈という非常に険しい山があります。このためハートランド中心地とのアクセスはあまりよくありません。つまり大きな断絶があるのです。

中国は、安全保障のためにチベットやウイグルを重視していますが、それより西には行こうとしていません。その理由はマッキンダーが考えたように、ハートランドの地理的条件があまりにも厳しいからです。したがって中国はハートランドに国土の一部を持っていますが、どちらかというと海洋の方に興味があり、半分はシーパワーの国ということになるわけです。

中国から見れば、朝鮮半島は海に出るための最先端の場所ですから、当然、地政学的には非常に重要なエリアですし、東シナ海の制海権は何としても確保しておきたいと考えるはずです。加えて、東南アジアは歴史的に中国との関係が密接ですが、地理的条件から陸路は貧弱にならざるを得ず、両地域間の輸送には船舶が重要な役割を果たします。結果として中国は南シナ海の制海権確保にも血道を上げることになります。

地政学という視点に立ってみれば、東シナ海に位置する尖閣諸島に対して中国が異様な関心を示すことや、南シナ海を力ずくで制圧しようとすることも十分に予想できた話、ということになるでしょう。日本政府にこうした感覚が希薄だったとすると、それは地政学的な知見が欠如していた可能性が否定できません。

中国の外交方針は「冊封」が基本

地政学的な分析を行う際に、避けて通ることができないのが歴史です。人間は似たような行動を繰り返しますし、地政学のベースになっているのは地理的な位置関係ですから、これは時間が経過してもほとんど変化しません。逆にいえば、地政学的な関係は不変ですから、同じ地域の国は同じような振る舞いを繰り返す可能性が高いと考えられます。

近年、朝鮮半島や東シナ海をめぐって緊張が高まっていますが、歴史を振り返ると、中国、日本、ロシア、韓国（北朝鮮）という関係各国は、常に同じ行動を繰り返していることが分かります。

例えば、日清戦争は朝鮮半島の支配権をめぐる日本と中国（清）の争いですし、日露戦争は、同じく朝鮮半島をめぐるロシアと日本の勢力争いです。日清戦争で日本側は、清の北洋艦隊を黄海海戦で破り、地上部隊は遼東半島と山東半島を占領しました。日露戦争では、相手はロシアに変わりますが、やはり黄海と対馬沖で海戦を行い、遼東半島を制圧しています（旅順攻撃では203高地をめぐって激戦となりました）。相手が変わっても、戦略拠点をめぐる争い方は共通であることが分かります。

朝鮮戦争は、実質的に革命後のロシア（旧ソ連）と米国による朝鮮半島の支配権をめぐる争いですが、かつての日本と同様、米軍は漢江の河口である仁川から地上部隊を上陸させています。時代や相手が変わっても、戦争の本質は何も変わっていません。各国の利害が地政学的要因で決まるのだとすると、各国の振る舞いは似たようなものとなり、歴史を知ることで、その国の基本的な性質を理解できるはずです。

中国の歴史は非常に長いですし、時代によって状況も変わります。ある国の歴史を一言で分析するのは少々乱暴ではありますが、一方で、時代を通して存在し続ける現象や概念もあります。

対外的な覇権という部分にテーマを絞った場合、中国という国をもっとも明確に特徴づけているのが、「冊封《さくほう》」と呼ばれる制度であることは、多くの人が同意するのではないかと思います。

中国は、中華思想という言葉にも代表されるように、自らが世界の中心であるという世界観を持っています。このため、中国に対して朝貢してきた国に対しては、その統治者がその国の王であることを承認し、お墨付きを与えるという行為をします。こうした宗主国と朝貢国の関係を基本とした外交政策を「冊封」と呼びます。

中国の冊封は、周辺国をすべて統一し、中国にしてしまうという考え方には立脚していません。例えば、戦前の日本は朝鮮半島を支配下に置き、さらには韓国を併合して日本の一部としました。しかし中国は、あくまで宗主国と朝貢国という関係を崩さず、相手国が頭さえ下げてくれれば、過度に内政には干渉せず、異なる国であるとしてしっかり線引きします。なぜこのようなやり方になっているのかについては様々な見方がありますが、先ほどの中華思想という価値観が大きく影響していることは間違いありません。

中国人は非常にプライドが高く、そうであるがゆえに、中国が世界の中心という価値観を持っています。中華思想を突き詰めて考えれば、中国人以外が、中国のように振る舞うことはできないということになりますから、周辺国を中国にしてしまうという発想は出てこないのです。

中国では、古代から続く中国の中心地域（黄河流域の平原）のことを中原《ちゅうげん》と呼びますが、この言葉には、外国とは異なる文明の中心地というニュアンスがあります。中原を支配するのは中国人であり、あくまで周辺の国々は、中国に朝貢するだけの立場と考えるわけです。

歴代の中国王朝は強大な軍事力を持っていましたが、周辺の国々を次々と侵略し、領土を拡張することはしませんでした（日本に攻めてきたのは、元寇の時だけであり、当時の王朝である元は、中国人ではなくモンゴル人の政権です）。

このようなスタンスの背景には、周辺国をすべて軍事的に制圧するコストが高すぎるという経済合理性に基づく判断もありますが、自分たちは特別な存在であるというプライドが大きく影響していると考えられます。その証拠に、冊封では、周辺国が献上する貢ぎ物に対して、中国側は2倍、3倍の品を返していました。上に立つものは、下のものに対して、鷹揚に振る舞うという発想なのでしょう。

現代の中国は共産党政権ですが、民主国家ではないという点で、その本質は君主制とそれほど変わりません。毛沢東氏から習近平氏に至るまでの中国共産党の歴代指導者たちは、しばしば歴史を引き合いに出しますから、今でも歴史的な感覚は中国の指導者の中で共有されていると考えるべきでしょう。実際、中国の指導者が外国の要人と会う際には、冊封的な価値観を前面に押し出しています。

各国は首脳が交代すると、互いに訪問し首脳会談を行いますが、中国はできるだけ相手国首脳が先に訪中することを求めます。かつての中国皇帝は、決して外国を訪問することはなかったからです（立場の高い人が、低い人を呼びつけるという価値観です）。

中国首脳が、中南海（紫禁城の西隣にある、中国共産党や国務院の中枢がある北京市内の特別区域）などで外国要人と会談する際には、相手が現れても自らは決して近づかず、相手が自分の前まで進んできてから、はじめて握手の手を差し出します。例外となっているのは、米国大統領などごく一部です。

中国の眼中にもはや日本はない

現在の中国における国防方針に、この冊封の考え方を組み合わせるとひとつの到達点が見えてきます。近年、中国は、第一列島線、第二列島線という戦力展開の目標ラインを明確に定めています（次ページ図参照）。

第一列島線は、沖縄、台湾、フィリピン、ベトナムと続くラインで、第二列島線は、日本から小笠原諸島、グアムを結んだラインです。

中国は1992年に「領海法」という国内法を成立させていますが、その内容は、尖閣諸島、南沙諸島、西沙諸島の領有権を主張するものでした。さらに時代を遡って1950年前後には、南シナ界の海域について九段線と呼ばれるエリアを一方的に設定し、自国の水域であると主張してきました。

領海法で示された海域や九段線で示された海域は、ほぼ第一列島線とイコールになっています。つまり中国はこの第一列島線より内側を完全に自国（歴史の言葉でいえば中原）と捉え、絶対的な制海権を確保するつもりのようです。第二列島線は、第一列島線を防衛するための最前線という位置づけになるでしょう。

中国の戦力展開の目標ライン

この第一列島線の内側に位置する国は、おそらく中国にとって冊封の対象になると考えられます。中国はこのところ東南アジア各国に莫大な金額の経済援助を行っており、米国と日本が主導するアジア開発銀行に対抗するため、アジアインフラ投資銀行（ＡＩＩＢ）を設立しました。日本国内ではＡＩＩＢはうまくいかないという願望に基づく分析ばかりでしたが、ＡＩＩＢは着実に成果を上げており、２０２１年１月には、何とアジア開発銀行が、コロナ対策支援においてＡＩＩＢとの協調融資を実施することになりました。日米両政府のアジア支援拠点だったアジア開発銀行ですら、ＡＩＩＢの存在抜きには活動が難しくなって

いる現実が浮かび上がります。

中国は、今後、第一列島線に接する国々には、中国への「朝貢」を強く求めてくるでしょう。中国との協力関係を明確にした国に対しては、莫大な経済的見返りを提供する可能性が高いと思われます。一方、この方針に反発する国に対しては、軍事的圧力を強めてくることが予想されます。中国が朝貢を求める第一列島線に接する国の中に、東南アジアや韓国、台湾、フィリピンが含まれるのは明白です。問題は日本ですが、尖閣諸島や沖縄は、今のままでは対象に含まれてしまいますが、日本列島全域はこの領域に入っていません。地政学的には、日本列島と沖縄をいかにして第一列島線の内側に位置づけられないようにするのかがカギを握ります。

先ほど、中国は歴史上、冊封を基本的な外交政策に据えてきたと説明しましたが、実は冊封に応じなくても、利害関係が少ない国は何もせず放置していました。そして、放置していた国の代表がこの日本です。

日本が率先して中国の支配下に入るのであれば話は別ですが、この戦略を望む日本人は少数派でしょう。一方で中国の経済力や軍事力はあまりにも強大であり、厳然たる事実として中国と全面対決する手段は日本にはもはや残されていません。一方で、第一列島線が冊封政策の境界線なのだとすると、その対象外であれば、中国はそれほど大きな関心を寄せないと解釈することもできます。

米国は基本的にアジア太平洋地域への関心を低下させており、その流れはバイデン政権でも変わらないでしょう。そうなると、米国がアジア太平洋地域の軍事的プレゼンスを放棄する可能性は十分にあり、その場合、日米安保は事実上、有名無実化してしまいます。

米国による中国封じ込めが期待できなくなった場合、日本が選択できる道はおのずと限られます。しかしながら、日本が中国にとって微妙な場所に位置していることは、対中交渉において有益な材料となるでしょう。日本がどうすれば中国との距離を保つことができるのかについては最終章で解説したいと思います。

第6章 中国がいよいよ脱炭素に舵を切ったことの意味

第6章は、中国にとって最大の弱点であると同時に、場合によっては中国の影響力をさらに拡大させる可能性を持つ脱炭素シフトについて解説します。

菅義偉首相は２０２０年10月、首相就任後の所信表明演説において、２０５０年までに温室効果ガスの排出量を実質ゼロにする方針を表明しました。日本はこれまで２０５０年までに80%削減という極めて緩い目標しか掲げていませんでしたから、これは劇的な方針転換といってよいでしょう。

日本の方針転換は、全世界的な脱炭素シフトの動きが急加速していることを受けての決断ですが、脱炭素という国際社会の動きからもっとも大きな影響を受けるのは、世界最大の二酸化炭素排出国である中国です。

中国は、これまで新興国として工業生産を急激に拡大してきましたし、何より14億人という人口を抱えていることから、大量の二酸化炭素を排出しています。中国の２０１８年における二酸化炭素排出量（燃料燃焼に伴う排出量）は約95億トンで、全世界の排出量の約28%を占めています。２番目に排出量が多いのは米国で、３位以下にはインド、ロシア、日本、ドイツといった国々が続きます（左ページ上図参照）。

各国の二酸化炭素排出量（2018）

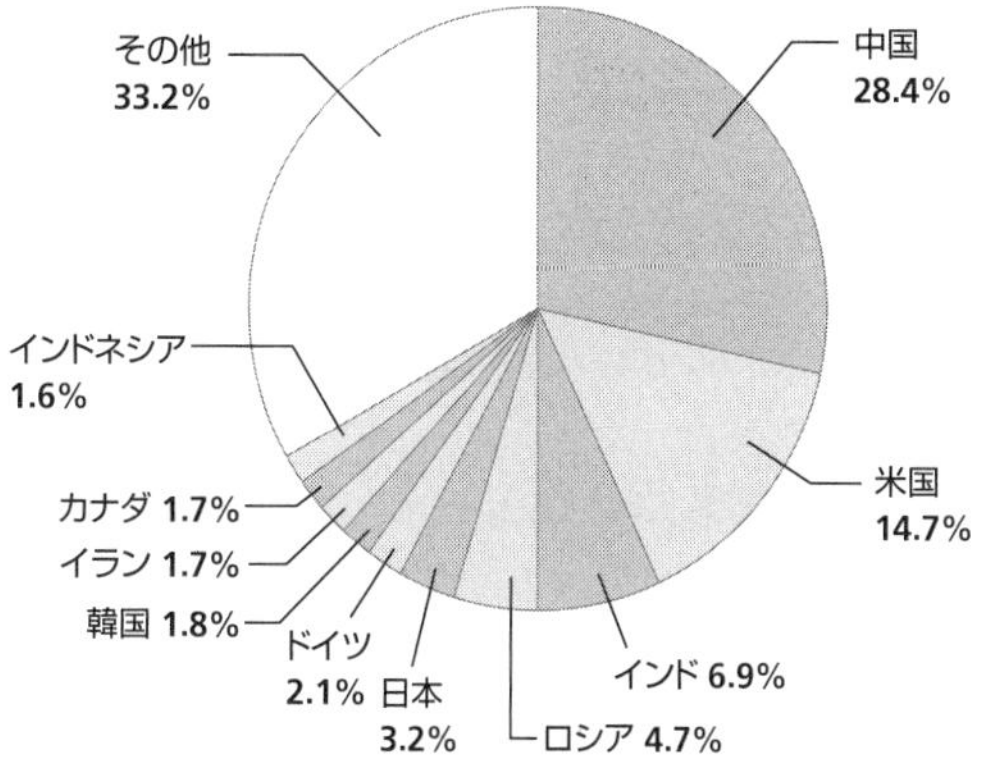

※燃料燃焼による二酸化炭素排出量　　出所：IEA

各国の1人あたりのCO_2排出量

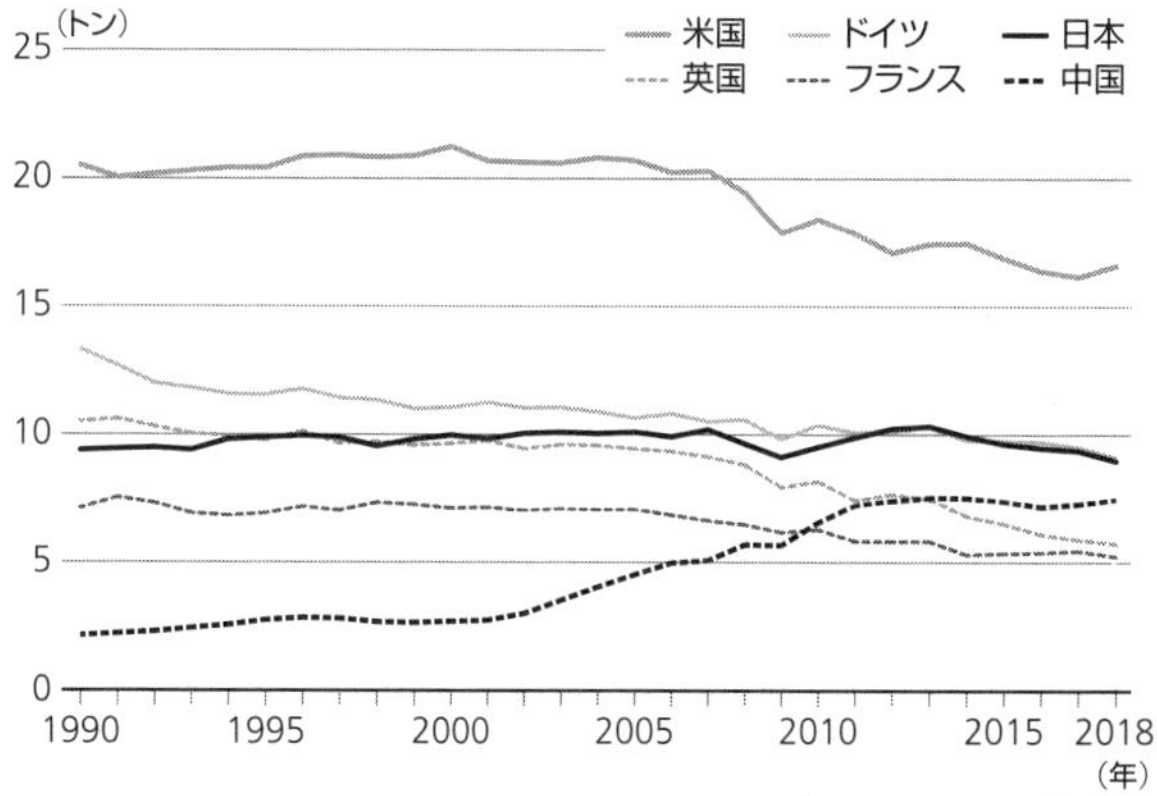

※中国については一部推定
出所：UNFCCC、IEA、世界銀行などをもとに筆者作成

しかしながら、排出量の絶対値で評価すると、当然のことながら人口の多い国が不利になってしまいます。したがって国際交渉の場においては、排出量の絶対値とともに、１人あたりの排出量の違いについても議論されます。

前ページの下図は、各国の１人あたりの二酸化炭素排出量の推移を示したグラフです。このデータは、気候変動枠組条約（ＵＮＦＣＣＣ）に基づいて算出された排出量を各国の人口で割って算出したものです。中国は新興国なので条約上の報告義務がありませんから、中国については世界銀行のデータをもとに、一部の値について推定を行っています。

２０１８年時点における１人あたりの排出量がもっとも多いのは米国で、16・６トンと突出した量になっています。次に多いのが日本とドイツで約９トン、英国やフランスは５トン台とかなり少なく、中国は７・５トンと両者の中間に位置しています。

中国はこれまで新興国を代表する立場から、脱炭素シフトには慎重なスタンスでした。ところが２０２０年９月の国連総会において、２０６０年までに二酸化炭素の排出量を実質ゼロにする方針を表明して各国を驚かせました。菅政権が突如、排出量ゼロ宣言を行ったのも、中国が思い切った方針を表明したことが大きく影響しています。

中国は、これまで世界の工場として大量の製品を生産し、各国に輸出してきました。工業を活発にすれば、当然、二酸化炭素の排出量は増えますから、脱炭素シフトは中国にとっては不利になります。それにもかかわらず、中国はなぜここに来て戦略を転換し、二酸化炭素を削減する方針に切り換えたのでしょうか。その理由を探るためには、脱炭素シフトが持つ本質的な意味合いについて理解する必要があります。

「排出量ゼロ宣言」は覇権争いの開戦宣言

全世界的な脱炭素シフトは、地球環境を保護し、気候変動を抑制する目的で行われていますが、それだけが理由ではありません。脱炭素をめぐる動きは、むしろ大国間の覇権争いそのものであり、限りなく戦争に近い行為であると解釈した方が自然です。

戦後における国際社会の基本的な枠組みはすべて米国が作り上げたものです。米国は、圧倒的な経済力を背景に、全世界にドル経済圏を確立し、世界のリーダーとして君臨してきたことはこれまで説明してきた通りです。そして、石油という資源は、米国の世界支配をより強固にするツールとしての役割を果たしてきました。

石油流通の多くは石油メジャー（国際石油資本）と呼ばれる米国企業が押さえており、石油の代金決済はすべてドルで行われます。米国は圧倒的な軍事力で世界中のほぼすべての海域における制海権を確保していますから、中東から石油を輸入する国は米国の軍事力に頼らざるを得ません。

一方で米国はシェール革命によって世界最大の石油産出国のひとつとなりました。中東に依存していたのは過去の話で、今やエネルギーのほとんどを自国で賄うことができます。現在の米国はエネルギーに関してもっとも自由な国ですから、石油がなければ生きていけない他国に対して石油の安定供給を保証することで、圧倒的な立場を維持できたわけです。

米国と覇権争いをしている欧州や中国が、石油を基軸とした米国の覇権を苦々しく思っていたことは想像に難くありません。しかしながら現実問題として、欧州や中国は石油を採掘することができませんし、石油がなければ、国家の運営そのものが成り立ちません。欧州や中国は、こうした事情からやむを得ず米国の石油支配を受け入れてきました。

ところが、近年、めざましい成長を遂げた環境技術のイノベーションによって状況が大きく変わり始めました。再生可能エネルギーのコストが劇的に低下するとともに、ＩＴインフラの発達によって、広域を網羅する分散電力システムの構築が現実味を帯びてきたのです。もし自国で消費するエネルギーの大半を再生可能エネでカバーすることができれば、それは完全に自国産のエネルギーということになりますから、これは安全保障上、絶大な効果をもたらします。

第5章では、軍事力について解説しましたが、戦争の継続にはエネルギーの確保が絶対条件となります。安全保障上もっとも重要なエネルギーという問題について、他国に依存しない体制を作れる可能性が見えてきたわけですから、各国の政治的指導者が、脱炭素シフトに絶大な期待を寄せるのはむしろ当然のことといってよいでしょう。

欧州はこうした理由から、実現のハードルが高いことも承知の上で、国際社会に脱炭素シフトを強く呼びかけてきました。一方、米国は脱炭素シフトが進めばこれまで築き上げてきた石油利権が崩壊しますから、一連の動きには消極的でした。同じように、世界最大の工業国である中国もやはり慎重なスタンスを崩していなかったわけです。

ところが、米国はバイデン政権の誕生によって従来の方針を大転換することになり、中国も一足早く、2060年までの排出量ゼロ宣言を行いました。

脱炭素が進むと不利になる両国が、方針を大転換したことには、主に2つの理由があると考えられます。ひとつは、国際的な脱炭素の流れが不可避であり、この流れに逆らうと確実に国際交渉で不利になるという現実がハッキリしたこと。もうひとつは、自国が持つ環境技術を駆使すれば、むしろ脱炭素社会を主導できる可能性が見えてきたことです。

脱炭素シフトは国家間の覇権争いですから極めて政治的な動きになります。欧州は二酸化炭素排出量の多い製品の輸入に事実上の関税を課す、国境炭素税（国境炭素調整）の導入を表明していますし、米国のバイデン政権も同様の仕組みを検討しているといわれます。WTO（世界貿易機関）加盟国の場合、自由貿易の原理原則から一方的に関税を課すことは制限されています。しかし欧州と米国が制度の導入を決断すれば、事実上、自由貿易体制の例外事項として国境炭素税が既成事実化する可能性は高いでしょう。国境炭素税が導入された場合、世界経済のブロック化がさらに進みますから、輸出主導型経済はますます不利になります。輸出で経済を成長させている中国にとっては大問題ですし、世界最大の消費国である米国には逆に強みとなります。米中両国は自国にとって有利になるよう、国策を転換したと考えてよいでしょう。

加えて、脱炭素社会を実現するためには、再生可能エネの発電所を大量に建設する必要があると同時に、ITインフラを駆使した分散送電網（スマートグリッド）も構築しなければなりません。

再生可能エネの時代は、各地に無数の小規模な発電所が建設されますから、送電網をうまくコントロールできないと大規模な停電事故を引き起こす可能性があります。スマートグリッドの構築には、高度なソフトウェア技術が必須となりますが、米中両国はこの分野において圧倒的な競争力を持っています。脱炭素で不利になる面を差し引いても、プラスの効果が大きいと判断した可能性は高いでしょう。

　中国が国策としてＥＶを推進しているのも同じ理由です。

　脱炭素社会にシフトするためには、再生可能エネの発電比率を上げ、二酸化炭素を排出せずに作った電気で自動車を走らせる必要があります。脱炭素シフトが避けられない動きであるならば、その動きをリードし、自国の産業もそれに合わせてシフトした方が圧倒的に有利です。そして、ほぼ同じタイミングで、中国経済の成熟化と米中貿易戦争による米中のデカップリングという事態が発生しています。

　言い方は不謹慎かもしれませんが、誤解を恐れずにいうと、脱炭素シフトという国際社会の争いは、大量の二酸化炭素を排出する従来型製造業を誰に押しつけるのかという、ある種のババ抜きゲームです。鎖国でもしない限り、このゲームへの不参加は許容されませんから、輸出主導型経済から消費主導型経済にシフトするしか道はありません。中国の内需主導型経済への転換政策は、実はこの部分と深く結びついているのです。

中国に対する最大の武器とは

一方、日本や米国そして欧州にとって、脱炭素という動きは、経済大国として君臨しつつある中国を牽制する強力な武器として作用するでしょう。中国も脱炭素シフトを決断したとはいえ、現時点では世界最大の工業国なので、排出量削減にはかなりの困難を伴うからです。

中国に対して十分に排出量の削減が進んでいないとしてプレッシャーをかけつつ、再生可能エネや省エネ関連の技術を中国に販売したり、排出権取引の仕組みを使ったりして中国に排出枠を高く販売するといった対応が可能となります。

中国にとって脱炭素は最大の弱点であり、そうであればこそ、この弱点を武器に変えられるよう脱炭素シフトを急いでいるわけです。

当然のことながら、こうした中国に対する牽制策というのは、日本にとっても有益ですが、困ったことに今のままでは、日本はそのカードを十分に使えない可能性が高いといわざるを得ません。その理由は、政府は脱炭素に明確に舵を切ったものの、産業界の一部や世論はこの方針にあまり賛同しておらず、日本の脱炭素がスムーズに進まない可能性が高いからです。

これまでも日本は、二酸化炭素を大量排出する石炭火力にこだわり続け、国際社会から批判されてきました。今後、日本がスムーズに脱炭素を実現できない場合、それを武器に中国を攻めるどころか、逆に脱炭素に消極的であるとして中国と同じ側に立たされてしまい、諸外国から圧力を受ける可能性も否定できません。

195ページのグラフで示したように、圧倒的にエネルギーを消費している米国を除くと、日本は1人あたりの排出量が多く、ドイツと同様、不利な状況にあります。日本の1人あたりの二酸化炭素排出量が多い理由は、先ほども説明したように、大量の二酸化炭素を出す石炭火力への依存度が高いからです。この様子は部門別の排出量を見るとさらに明白になります。

次ページの図は、電力・熱源部門における二酸化炭素排出量（1人あたり）を示したグラフですが、日本は4トンを超えており、ドイツよりも多くの二酸化炭素を排出しています。ちなみに中国の排出量が多いのも石炭火力が原因です。

ドイツは全発電量のうち約44％を、日本は約32％を石炭火力に依存しています。石炭火力への依存度が高い国は、しばしば各国から批判されますが、その矛先はドイツではなく日本に向けられることが多いのが現実です。

電力・熱源部門における二酸化炭素排出量の比較

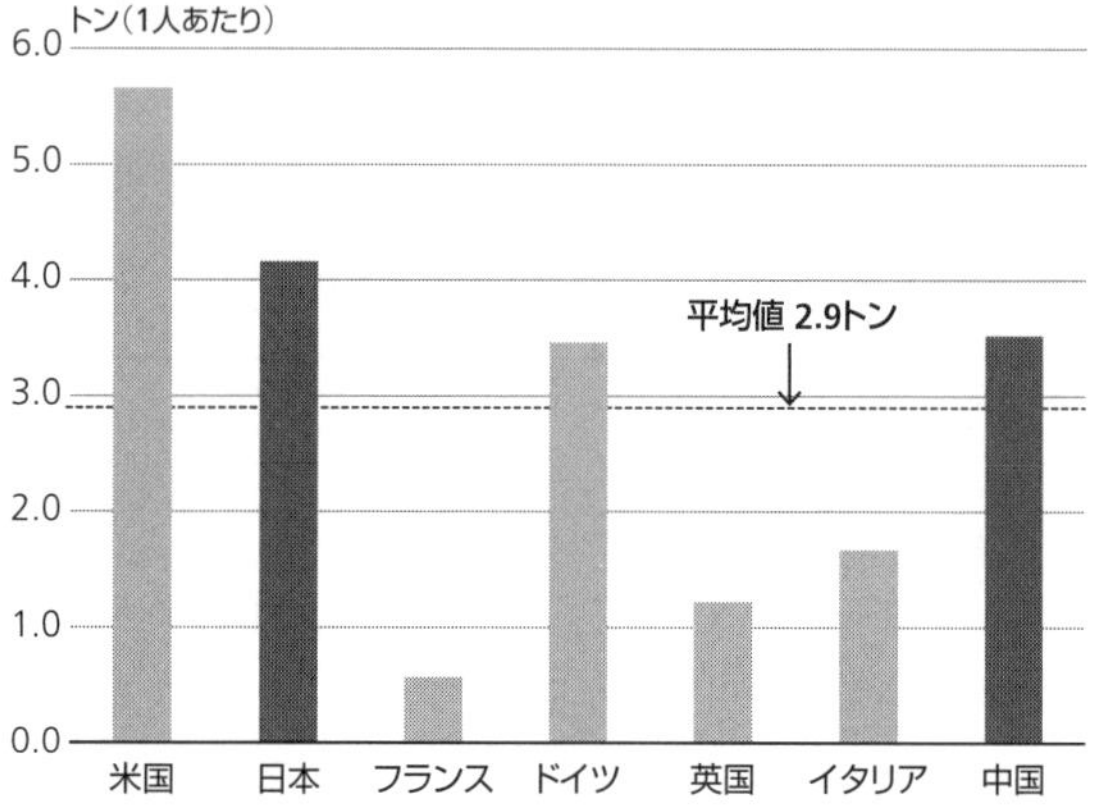

出所:IEAをもとに筆者作成

その理由は、ドイツは石炭火力に依存する一方、再生可能エネの比率も高く、この分野ではもっとも先を行く国と認識されているからです。日本は再生可能エネにも消極的だったことから相対的にかなり不利な立場にあるのです。

この問題について国内では「ドイツも石炭火力に依存しているのに、なぜ日本だけが攻撃されるのか」「欧米はズルい」といった批判の声をよく耳にします。しかしながら、こうしたナイーブな感覚は冷酷な国際社会ではほとんど通用しないでしょう。

繰り返しになりますが、脱炭素は地球環境を守るためのボランティア活動ではありません。次世代の国家覇権を賭けた準戦争行為です。国際交渉では勝ち負けがすべてであるという厳しい現実について日本人はもっと強く認識する必要があると思います。

エネルギー部門の排出量が多いのであれば、原発を再稼働すればよいという考え方も成立しますが、話はそう単純ではありません。

電力の約７割を原発で賄うフランスの排出量は確かに低くなっていますが、英国やイタリアの排出量も、日本と比較すると著しく低い水準にとどまっています。これは再生可能エネの比率が高いことと、石炭火力の依存度が低いこと、さらにいえば、社会全体のエネルギー効率が高いことが理由です。原発に対する国内世論をクリアして再稼働を進めたとしても発電量は全体の約３割に過ぎず、現実問題として脱炭素の決め手にはなりません。また日本は家屋の断熱性が低く、家庭部門の二酸化炭素排出量も他国よりも多いのが現実です。

日本は原発事故という不幸がありましたが、二酸化炭素の排出量が多い理由は、再生可能エネの比率が低いことと、石炭火力の依存度が高いこと、そして社会全体のエネルギー効率が低いことですから、これをクリアしなければ目標を達成することは不可能です。

ここで取り上げた７カ国の排出量の平均値は２・９トンですから、これを上回っている日本・米国・ドイツ・中国は、外交交渉上、弱点を抱えており、この状態からできるだけ早く脱却することが最優先課題と考えるべきでしょう。

菅政権は、この問題の切り札として2040年までに4500万キロワット分の洋上風力発電所を建設する方針を掲げましたが、あまりにも壮大な計画だったことから、国内では驚きの声が上がりました。実は、日本メーカーの多くは再生可能エネへの対応ができておらず、この分野は外国企業の独壇場となっています。政府は2040年までに、国内調達比率を6割にするとの目標を掲げていますが、逆にいえば、2040年になってもまだ4割を海外メーカーに依存しなければ発電所の建設ができないことを意味しています。

政府のこうした方針については、海外に資金を流出させるだけだとして批判する声もあるようですが、政府が輸入に頼ってでも、再生可能エネへのシフトを急いでいるのは、事態が極めて切迫しているからです。

日本や中国、ドイツの排出量が多いのは、製造業の比率が高いことも影響しています。

次ページの図は、製造部門の1人あたりの二酸化炭素排出量を比較したものですが、米国・日本・ドイツ・中国の4カ国が平均値である1・1トンを上回っています。中国は世界の工場ですから、排出量が多いのは想像できますが、日本とドイツを比較した場合、ド

製造業における二酸化炭素排出量の比較

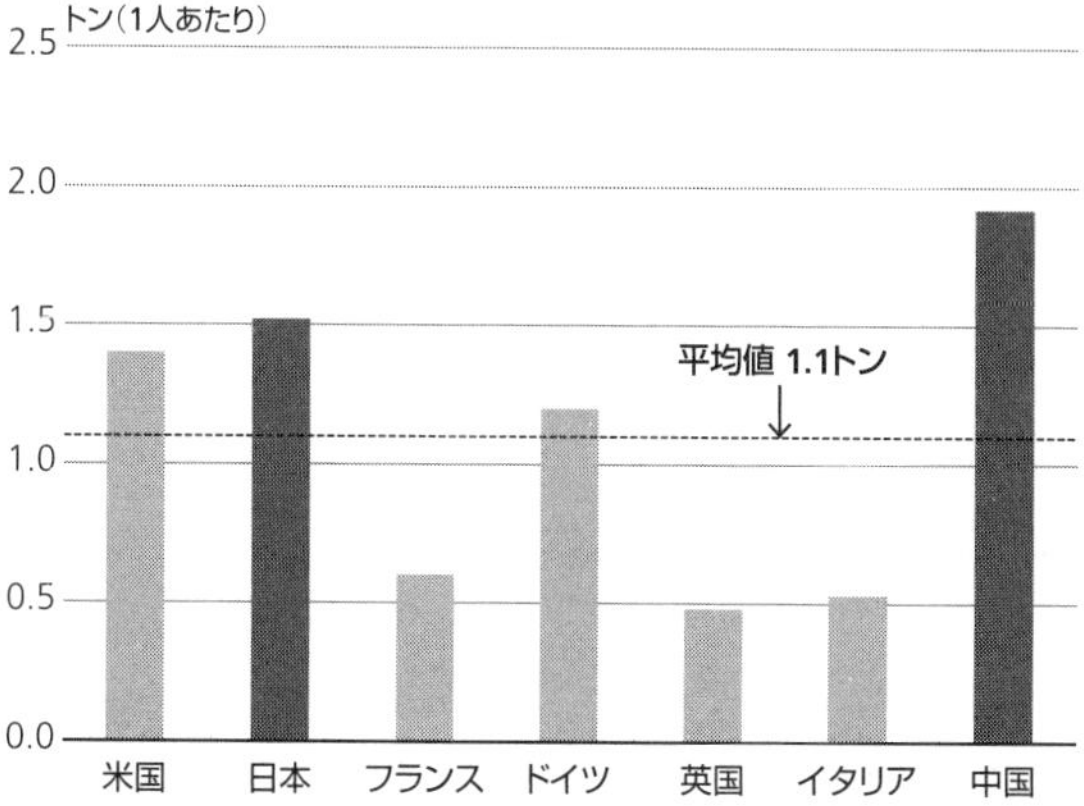

出所：IEAをもとに筆者作成

イツの排出量が少ないのは、大量生産ではない高付加価値製造業が多いことが原因と考えられます。

脱炭素社会では、低付加価値な製品を大量生産する国は不利になりますから、可能な限り付加価値の高いビジネスモデルに転換しなければなりません。最終的には、製造業立国ではなく、消費立国にシフトした方が有利であり、中国はそれゆえに、無理を承知で消費主導型経済へのシフトを急いでいるのです。

国際金融資本は何を狙っているのか

脱炭素シフトが、大国の覇権をかけた争いであるならば、それに勝利するためには、巨額の支出が許容されるはずです。実際、ＥＵは10年間で1兆ユーロ（約１３０兆円）という計画を発表していますし、米バイデン政権は、4年間で2兆ドル（約２２０兆円）という巨額資金を投じる方針です。各国は糸目をつけずに投資する戦略であり、世界はこうした脱炭素マネーの争奪戦となっています。

では、具体的に脱炭素マネーは各国経済にどのような影響を与えるのでしょうか。

ＩＥＡ（国際エネルギー機関）の推計によると、２０１８年における全世界の脱炭素投資（再生可能エネへの投資と省エネ関連技術への投資）の総額は約６６００億ドルでした（内訳は再生可能エネ３１００億ドル、省エネ２５００億ドル、送電網１０００億ドル‥一部筆者推定）。エネルギー部門以外にも投資が必要なので、経済全体で行われている投資額はもっと多いはずですが、とりあえずここではエネルギー関連に的を絞ります。

２０１８年における全世界のＧＤＰは85・7兆ドルだったので、世界は脱炭素を実現するため、毎年ＧＤＰの約０・８％を投じている計算になります。しかしながら、脱炭素の動きはこれからが本番であることや、排出量ゼロを実現するのはそう簡単ではないという現実を考えると、２０５０年にかけて同じ水準の支出額で済む可能性は低いでしょう。

欧州では排出権取引制度がスタートしており、温室効果ガスの排出権が市場で売買され、二酸化炭素には市場価格がついています。２０１７年頃まで、排出権価格は１トンあたり５ユーロ前後で推移していましたが、２０１８年以降、価格が急騰しており、２０２０年10月にはとうとう30ユーロ（約３８００円）を突破しました。

金融工学的に見た場合、市場で形成される価格というのは、将来価値を現時点に割り戻した数字になります。２０１８年以降、排出権価格が急騰したのは、今後、脱炭素投資が本格化し、投資額が増えることを市場が予想した結果です。

ちなみに欧州では、すでに高額の炭素税を導入している国が多く、１トンあたりの税額が５０００円を超えるケースも珍しくありません。30ユーロ前後という排出権価格は今後、さらに上がる可能性が高いと考えてよいでしょう。

仮に二酸化炭素の排出について、すべて排出権を買い取る形で処理した場合（つまりコストとして処理した場合）、いくらのお金があれば解決できるのでしょうか（排出権は他の主体が目標よりも多く削減した分を買い取る制度ですから、全員がこの権利を買い取ることはできません。したがって、この試算はあくまで仮定の議論です）。

２０１８年時点における、全世界の二酸化炭素排出量は約３３５億トン（燃料燃焼分）でした。２０２０年末の排出権価格である32ユーロを適用すると、理論上の年間二酸化炭素コストは約１・３兆ドル（約１４３兆円）と計算されます。先ほど、脱炭素・省エネ関係の年間投資総額は約６６００億ドルと書きましたが、現在の排出権取引価格が近い将来の二酸化炭素コストを反映しているのだとすると、投資額は現在の約２倍になるとの結論が得られます（ちなみに排出権価格は２０２１年に入って、40ユーロ台まで高騰しています）。

ちなみに、この金額をＧＤＰの比率で案分すると、ＥＵ全体のＧＤＰは16・０兆ドルですから、年間の脱炭素投資は２４００億ドル、米国のＧＤＰは20・６兆ドルなので、年間投資額は３１００億ドルとなります。欧州の投資計画の数字を１年あたりに換算すると１２００億ドル、米国の投資計画は５０００億ドルなので、米国の投資計画は、市場から予想される水準をさらに上回っていることが分かります。

一連の脱炭素シフトには、国際金融資本の意向が密接に関係していると指摘されています。これだけの巨大マネーが全世界で投資されるという現実を考えると、うなずける話ですし、国際金融資本が脱炭素に前のめりになることには明確な理由があります。

近年、全世界的な低金利が続いており、一般的にはリーマンショック後の金融緩和が原因であるとされていますが、慢性的な低金利にはファンダメンタルズ的な理由があるとの見解もあります。それは、ＩＴの広範囲な普及によって、あらゆる産業の限界コスト（一単位の生産量増加に必要なコスト）が低下し、設備投資資金に対する需要が低迷。これによって長期金利が引き下げられているという解釈です。

今の説明は少し抽象的すぎたかもしれませんが、要するに社会がＩＴ化すると、あまりお金がいらなくなるという話であり、それは簡単にイメージできると思います。

例えば従来の時代であれば、宿泊施設を用意するには、ホテルや旅館を建設する必要があり、そこには多くの資金が必要でした。タクシー会社が事業を始めるには、大量の自動車を購入しなければならず、やはりまとまった資金が要ります。実際はリース会社が肩代わりするかもしれませんが、それは資金の出し手がリース会社に替わっただけであり、全体の構図は同じです。

ところが、民泊サイトであるＡｉｒｂｎｂであれば、もともとある住宅をホテルに転用するだけですから、新規の設備投資は必要ありません。ライドシェアであるウーバーも同じで、自家用車がタクシーに替わるだけですから、新規で自動車を用意する必要はないのです。このような形で、あらゆる分野でＩＴ化による経済のシェアリングが進むと、大量のマネーを必要としなくなり、低金利を引き起こす要因となります。

国際金融資本にとっては、今後、長期にわたって高い金利が得られないというのは大きな問題であり、そこで浮上してきたのが脱炭素シフトです。脱炭素の実現にはかなりの資金が必要となりますから、行き場を失った資本にとっては高いリターンを得られる大きなチャンスと映ります。

日本の金融機関や公的年金を運用するＧＰＩＦ（年金積立金管理運用独立行政法人）を含む世界の投資ファンドは、２０１９年の段階で、すでに「責任銀行原則」あるいは「責任投資原則」に署名しています。これは、環境問題に消極的な企業やプロジェクトには投融資をしないという仕組みで、すでに2年近く前から、石炭火力など二酸化炭素を排出する事業については資金という外堀が完全に埋められていました。

脱炭素シフトというのは、実は金融覇権をめぐる争いでもありますから、中国のデジタル人民元という取り組みも水面下ではつながっているのです。

中国を牽制するために脱炭素シフトは必須

一連の状況を客観的に眺めると2つのことが分かります。

ひとつは、脱炭素シフトは中国にとっては大きな弱点であり、日本など中国と利害が対立する国にとっては、中国を封じ込める有力なカードになるという現実です。もうひとつは、脱炭素という中国に対する有益なカードが存在しているにもかかわらず、日本は二酸化炭素の排出量が多く、逆に諸外国から批判されるリスクがあるため、このカードをうまく使えない可能性があることです。

トランプ政権は、見かけ上、中国を敵視する政策を行いましたが、結果的には米中のデカップリングを促進するなど、中国に有利な結果をもたらしました。脱炭素についても同様で、せっかくの中国に対する有力なカードであるにもかかわらず、米国が脱炭素に否定的だったことから、この切り札を使えないという状況でした。

バイデン政権は脱炭素シフトを明確に表明しましたが、中国との交渉材料を確保するという意味では、この方針展開は当然の結論といってよいでしょう。中国を敵視しながら、自ら中国に有利な行動を取ってしまったという点では安倍政権も同様です。

安倍首相は当初、自身が「世界の脱炭素をリードする」と発言するなど、脱炭素シフトに積極的でした。ところが脱炭素に否定的なトランプ氏に忖度したのか、国内の一部産業からの強い要請があったのか、脱炭素の方針を事実上、撤回してしまいました。この間に、世界は一気に脱炭素に舵を切ってしまい、日本企業は、環境対応において大きく出遅れるという事態を招いています。

政府はもちろんのこと、産業界の対応もまだまだ遅いというのが現実ですし、何より筆者が懸念しているのは、国内世論がかなり後ろ向きであることです。

日本自動車工業会会長でトヨタ自動車社長の豊田章男氏が日本の脱炭素政策について、「実現は容易ではない」と発言したことが波紋を呼びましたが、この発言に対する国内の反応は微妙です。

豊田氏は2020年12月、政府が打ち出した排出量ゼロ政策について、「仮にすべての自動車がEVになった場合、ピーク時の発電能力について10〜15%増強する必要がある」「EV化に伴う充電設備については14兆〜37兆円ものインフラ投資が必要になる」と述べた上で、「国家のエネルギー政策の大変革なしには達成は難しい」との見解を示しました。

数字に関する詳細な議論はともかくとして、本格的にEV化を進めれば、発電能力や充電インフラの増強が必要となるのは明らかです。脱炭素政策というのは、社会システム全体に関わるテーマであり、個別企業の努力だけで何とかなるものではありません。その意味では、政府による本格的な後押しがなければ脱炭素シフトなど不可能であるという、豊田氏の主張は間違っていないと思います。

これまで説明してきたように、日本の二酸化炭素排出量が多いのは、エネルギー政策や製造業のビジネスモデルに依存する部分が大きく、自動車など運輸部門の排出量は諸外国よりも低く抑えられています（公共交通機関が発達していることもあり、日本における自動車の平均走行距離は各国の半分しかなく、これが大きく貢献しています）。自動車が大気汚染の元凶というイメージを持つ人も多いですから、豊田氏の発言は、自動車産業にだけ矛先が向くことを回避したいという思惑もあってのことでしょう。

いずれにせよ豊田氏は、政府が強力なリーダーシップを発揮し、巨額の財政支援を実施しなければ脱炭素は実現できないと主張しているのであって、政府の脱炭素政策を真っ向から否定したわけではありません。ところが、国内世論の一部は、「豊田氏が政府に苦言を呈した」といったトーンで、脱炭素政策をやめるべきだと声高に主張しています。

しかしながら、本書をお読みの方はすでによく理解されていると思いますが、脱炭素シフトが冷酷な国際社会の権力闘争である以上、日本だけが無関係な顔をして済まされるということはほぼ１００％あり得ません。それどころか、消極的な姿勢を見せただけで、格好の餌食となり、最終的には巨額の金銭解決を求められる可能性もあるのが現実です。

そして何より、脱炭素シフトは、日本にとって中国を牽制できる唯一の、そして最大の武器となるツールです。この大事なツールを自ら放棄するというのは、まさに中国側の思うツボであり、日本の国益を著しく損ねる行為だと筆者は考えます。

最終章　2030年、日本はどうする？

幼稚な嫌中論が日本をダメにする

最終章では、これまでの分析をふまえて、日本は中国に対してどう対峙すればよいのかについて考えます。

中国の高成長は当分継続する可能性が高く、２０３０年頃には米国を抜いて世界最大の経済大国となります。同時に、トランプ政権が仕かけた貿易戦争をきっかけに、米中のデカップリングが急ピッチで進んでおり、世界は米中欧の3極を中心としたブロック経済に移行しつつあります。同時にこれまでグローバルスタンダードであった米国基準と並行して中国基準が多くの分野でシェアを拡大しており、技術や商慣習、金融といった面でも米国と中国の分離が進んでいます。

そして、この動きを加速させるのが、全世界的に進む脱炭素シフトです。

脱炭素社会になった場合、大量の二酸化炭素を排出する低付加価値型の製造業は極めて不利になります。米国や欧州は自国を有利にするため、自由貿易の例外として、国境炭素税の導入を画策しています。この動きが進めば、世界のブロック経済化はさらに強固になってしまうでしょう。

これは戦後社会の枠組みを根本的に崩す大変革であり、次の100年を国家が生き延びるためには、この仕組みに合致した体制をできるだけ早く構築しなければなりません。世界経済がブロック化し、二酸化炭素を排出する国が損をするという図式ですから、圧倒的に消費主導型経済が有利になり、製造業を中心とする輸出主導型経済は極めて不利になるでしょう。

米国はもともと消費主導型経済ですから、こうした状況との親和性は高い国です。一方、中国は世界屈指の製造業大国であり、新しい時代には圧倒的に不利になります。中国政府が多くの困難を承知の上で、経済構造を消費主導型経済に転換しようとしているのは、新しい時代に対応し、世界の覇者になることを目指しているからです。

世界経済のブロック化が進展した場合、近隣諸国との貿易比率が上昇し、近い国どうしの経済的な結びつきが強くならざるを得ません。ここで大きな問題を抱えるのが日本という国です。

世界経済のブロック化の兆候はすでに現れていて、これまで最大の貿易相手国であった米国に代わり、中国が日本にとって最大の貿易相手国となっています。経済的な面だけではありません。第5章で解説したように、中国は近隣諸国に対して強大な軍事力を背景に、ある種の「朝貢」を求めてくる可能性が高まっています。経済のブロック化が進めば、米国が全世界に軍隊を展開する必要性も薄れてきますから、中国に対する最大の防御壁であった日米安保が有名無実化するというリスクが現実味を帯びてきます。

日本にとっては、すぐ隣に世界最大の経済力と軍事力を持った大国が出現しつつあり、その国とは基本的な価値観を共有していません。しかも日本は現時点では完全に消費主導型経済に移行できておらず、国内産業の多くが輸出に依存しています。

日本は中国を中心としたアジア経済圏の構築に自ら参加し、中国をお客さんとしてビジネスをしていくのか、その枠組みに背を向けるのか、重大な選択を迫られています。

ここ10年の間に日本では嫌中論が台頭し、中国をむやみに叩く論調がメディアに溢れていました。しかし、こうした幼稚な嫌中論は、中国の台頭がまだ先のことであるという願望を前提にした、ある種の「ままごと」であったと考えてよいでしょう。

しかしながら、これからの10年はまったく状況が異なります。

中国の台頭というのはまさにリアルな現実であり、すでに相手は体重４００キロの巨大なヒグマであり、日本人はそのヒグマに対して素手で戦わなければならない状況です。

短期的には米国との協調がベスト

中国に対してどのように対峙すべきなのかは、短期戦略と中長期戦略に分けて考える必要があります。短期的に有効なのはやはり米国との協調でしょう。

幸いなことに2020年の大統領選挙において、中国とのデカップリング化を進め、結果的に中国に有利になる政策ばかり繰り出してきたトランプ前大統領が敗北し、バイデン氏が新しい大統領に就任しました。

バイデン新大統領は、地球温暖化対策の国際的枠組みである「パリ協定」への復帰を表明し、自由貿易の原則も復活させる方針を掲げています。大きく破壊されてしまった自由貿易体制を復活するのは容易ではありませんし、中国が簡単にそれに応じる可能性も低いですから、交渉は簡単ではないでしょう。それでも米国が自由貿易とグローバルスタンダードを軸に、中国にメリットを提供しつつ、その動きを牽制するという伝統的な対中政策に復帰することは日本にとって朗報です。

しかしながら伝統的な中国封じ込め政策をうまく機能させるためには、日本が率先してグローバルスタンダードの流れを作っていくという積極的な姿勢が求められます。

特に脱炭素は、中国を牽制する最大の交渉材料ですが、この部分で日本が発言力を維持できなければ、中国を牽制するどころか、中国と同じ側になってしまい、各国から要求を突きつけられる結果にもなりかねません。

金融システムの活用についても、もっと積極的になる必要があります。

今のところ日本は世界最大の債権国であり、経常収支の多くが利子や配当などの所得収支（つまり投資収益）で占められています。しかしながら、所得収支の半分以上は日本メーカーが設立した現地法人からの配当収益となっており、純粋な投資収益ではありません。これは中国などコストが安い国に対抗するため、メーカーが工場を海外に移した結果なので、ここから得られる所得収支は有限であり、いつかは消滅してしまうでしょう。

今のところ日本には十分な資金力がありますから、この豊富な資金を証券投資に振り向け、米国と協調して次世代産業の育成を積極的に進めていく必要があります。

金融ビジネスというのは、誰がリードインベスター（投融資を主導する人）になるのかですべてが決まる世界です。本書では、日本のアジア戦略の拠点であるアジア開発銀行が、中国が設立したアジアインフラ投資銀行との協調融資を迫られているという話を紹介しました。そうなってしまう最大の理由は、資金量の問題ではなく、アジア地域の投融資案件を誰がアレンジするのかという立ち回りの部分で中国に主導権を握られているからです。

日本単独ではもはや中国の資金量には対抗できませんが、米国との連携を深めていけば話は別です。脱炭素の分野は金融システムとの連動性が高く、今後、排出権取引制度などをめぐって国際的な交渉がさらに激しくなります（日本の経済界が排出権取引に極めて消極的であることについても筆者は強く懸念しています）。

現時点において人民元は世界的に流通しておらず、金融システムは脱炭素と並んで中国にとって最大の弱点のひとつです。脱炭素とリンクした国際金融システムを米国と協調して創出できれば、中国に対する極めて大きな牽制球となるでしょう。

長期的には中国と距離を置く戦略が必要

短期的には米国との協調路線は相応の効果を発揮しますが、中国が米国を抜いて世界最大の経済大国になるという現実を考えると、いつまでも米国に頼ることは不可能です。世界経済のブロック化が進むのであれば、米国がアジアから手を引いてしまう可能性も十分にあり得ます。中長期的には、米国抜きで中国とどう対峙するのか日本独自の戦略が必要となるでしょう。

筆者はあまり賛成できませんが、もっとも手っ取り早いのが、中国の経済圏に自ら入り込んでしまうという戦略です。

中国メーカーに日本製の部品を販売したり、東南アジアに生産拠点をシフトした中国の製造業に対して部品や工作機械を提供したりすることで、日本は中国から対価を得ることができます。中国が消費経済に移行した場合でも、日本の消費者向け製品は中国でも人気がありますから、積極的に中国の消費市場に的を絞った商品を展開すれば、14億人の巨大市場で販売することができるでしょう。

資生堂やサントリーなど中国の消費市場に完全に馴染んでいる日本メーカーはたくさんありますし、伊藤忠商事のように商社の中からも、中国企業と日本企業の仲介を強化するところが出てきています。日本経済の屋台骨である自動車産業についても、中国市場向けに安価なEVを大量生産できれば、生産ラインを維持することができるかもしれません。

このやり方であれば、製造業を中心とした日本の産業構造を大きく変える必要はありませんから、国内産業や労働者への影響は最小限で済むと考えられます。しかしながら、この道を選択した場合、最終的には人民元経済圏に日本が取り込まれてしまう可能性は高いと考えざるを得ません。

ここでは人民元経済圏に取り込まれるという穏やかな表現にしましたが、現実はもっと厳しいものとなるでしょう。日本が人民元経済圏に取り込まれてしまった場合、日本は経済活動の多くを中国にコントロールされてしまいますから、場合によっては中国の属国のような地位に転落してしまう可能性も否定できないのです。

現時点では中国との取引についても、人民元と円の間にドルが入り込むケースがほとんどですが、本書で何度も指摘している通り、中国は自国通貨である人民元覇権の確立を目指しています。ゆっくりとしたペースにはなるでしょうが、日中の貿易がさらに拡大すれば、日本円と人民元の直接取引の比率が増え、知らないうちに日本経済は人民元経済圏に引きずり込まれていきます。加えていうと、いくら日本の製品が人気だといっても、日本は売る側で中国は買う側となり、立場は圧倒的に先方が有利ですから、中国を顧客にする以上、様々な面で日本は譲歩を強いられるでしょう。

一部の論者は日本にしか作れない製品を提供すれば、立場は弱くならないと主張すると思いますが、これはビジネスの現場を知らない人の願望に過ぎません。

アップルのｉＰｈｏｎｅには日本メーカーが製造した部品がたくさん搭載されており、ある意味では日本が存在しなければアップルはビジネスを続けることができません。しかし現実に日本メーカーは、アップルから猛烈な値引き要請を受けており、中にはほとんど利益を出せていない企業もあります。

アップルは常に複数の調達先を競わせ、主導権を確保できるよう画策していますし、1社しか供給先がない場合には、競合になり得る企業に対して巨額の資金援助まで行って競争状態を作り出そうとします。実際、アップルは液晶の調達をめぐってシャープとジャパンディスプレイを激しく競わせ、ジャパンディスプレイには工場の建設資金まで提供していました。双方とも果てしない値引き合戦を余儀なくされ、体力を消耗してしまったことは業界では有名な話です。

このようにモノを買う側というのは圧倒的に有利な立場であり、質の高い製品を持っていれば大丈夫というのは幻想に過ぎません。中国を顧客として製造業を続けていくのであれば、中国に対する発言力は大幅に低下すると考えてよいでしょう。

中国との距離を保つ唯一の方法とは

中国経済圏に取り込まれることを回避したいという場合には、輸出によって経済を成り立たせる産業構造から完全に脱却する必要があります。

日本はすでにＧＤＰの６割近くが個人消費となっており、徐々に消費主導型経済にシフトしていきます。これから日本は人口が急激に減っていきますが、それでも当面は1億人の消費市場が国内に存在しているわけですから、これをフル活用すれば、国内の消費で十分に経済を回すことができます。輸出に頼る必要がなければ、対外的に譲歩を迫られる材料が大幅に減りますから、中国に対しても一定の距離を確保することができるでしょう。

第5章でも解説しましたが、中国が目指しているのはアジア地域における盟主であり、中国という国の歴史的な動きを見ると、周辺国を統一支配することを望んでいるわけではありません。日本という国は中国による冊封体制の枠組みに入らず、中国は長く日本のことを放置してきました(歴史上、日本の支配者の一部は中国に朝貢していたと解釈することもできますが、日本が長い歴史を通じて、冊封体制の外側にあったというのは事実と考えてよいでしょう)。可能な限り中国との利害関係を希薄にする戦略を実施できれば、中国と一定の距離を保ち続けることは不可能ではありません。

筆者は中国と一定の距離を保つ道を選択すべきだと考えますが、そのためには日本は完全に消費主導型経済にシフトする必要があります。これが実現できれば、基本的な経済活動は自国内で完結しますから、中国との利害関係を最小限に食い止めることができ、結果的に中国との距離も確保できるでしょう。

消費主導型経済を実現するためには、国内の産業構造の転換をより積極的に進めていく必要がありますが、消費主導型経済といっても製造業の輸出をすべてなくす必要はありません。世界屈指の消費大国である米国にも数多くの輸出産業が存在します。しかしながら、消費主導型経済においては、大量生産を基本とした付加価値の低い製造業は成立しにくくなります。価格交渉などで可能な限り強い立場を維持できるよう、付加価値の高い製造業だけを残すよう政策誘導を行う必要があります。

製造業である以上、中国企業を顧客にする必要があるのは同じですが、付加価値が高く、他に製造する国が少ない製品であれば、買い手有利という構造は変えられないにせよ、日本が過度な妥協を強いられる場面を減らすことができます。

どうしても高付加価値型へのシフトが進められない業界については、可能な限り国内向けのサービス産業への転換を促し、労働者のスキルアップや転職支援といった策を実施する必要があるでしょう。

中国も消費主導型経済へのシフトを進めているとはいえ、日本と同様、輸出産業がなくなってしまうわけではありません。日本が輸入する製品については、中国にとってみれば日本がお客さんということになりますから、この金額をできるだけ大きくすることが中国からの過度な干渉を防ぐ防波堤となります。

トランプの中国通信会社締め出しは完全な悪手

金融市場の整備も重要です。トランプ政権は対中政策の一環として、中国の通信会社であるチャイナテレコムやチャイナモバイルなど3社の米国上場を廃止させましたが、これは本当に愚かな政策だと筆者は考えます。

中国の主力企業がわざわざ米国への上場を望んだのは、中国の資本市場が整備されておらず、米国市場に頼らなければ十分な資金調達ができないからです。米国で資金を調達するという流れが確立した後で、それをひっくり返すのは容易なことではありません。これをうまく継続できれば中国企業は米国の資本市場への依存が続きますから、資金源というもっとも重要な部分を米国が握ることができます。

しかも外国企業を上場させることは、資金の還流という意味でも重要です。大量の輸入によって海外に流出したドルが余剰となった場合、通貨価値の毀損を招くリスクがあります。しかし米国にたくさんの企業が上場していれば、海外に流出したドルは、それらの企業への投資という形で米国に戻ってくるので、ドルの価値を維持できます。

第3章ではクリミア戦争の際、敵国であるロシアの資金調達を黙認した英国の戦略を紹介しましたが、対立する国に自国の金融システムを使わせるというのは、極めて高度な国家戦略であり、発達した金融市場を持っている国だけの特権です。

日本の資本市場は米国とは比較にはなりませんが、十分にオープン化が進んでいない中国と比較すれば、まだまだアドバンテージがあります。日本の資本市場をさらにオープンにして、中国企業が日本で資金調達を行う事例を増やすことができれば、確実に外交の武器として使うことができるでしょう。

かつての日本は米国と同様、オープンな金融市場の構築を目指していましたが、安倍政権以降は、外国企業の上場は抑制する方向性となっており、市場はむしろ内向きになっています。国内世論も外国企業を上場させるのはケシカランといった単純で幼稚な意見が増えており、金融市場を武器に外交を展開するといった発想からは遠ざかりつつあります。このような状況では中国を資金面で牽制するということができなくなりますから、日本にとっては大きなマイナスとなります。

中国との距離を保ちたいのであれば、消費主導型経済へのシフトと同時並行で金融市場のオープン化を進め、日本市場と関係を持たないと企業活動を維持できない中国企業を増やしていかなければなりません。

ちなみにスイスやアイルランドなど、高度な金融サービスが存在する国は、極めて付加価値の高い製造業も活発になる傾向が顕著です。つまり、金融市場と高度な製造業は完全に両立できる存在です。国民生活の多くは消費主導型経済で支え、高度な金融市場と高付加価値製造業を外交的な武器として使うことによって、中国と距離を取りつつ、日本独自の経済活動を展開することが可能となるのです。

「モノづくり大国」思想を捨てなければ中国の支配下に

しかし、こうした新しい経済システムを確立するためには、どうしても超えなければならないカベがあります。それは国民のマインドです。

輸出主導型経済の場合、基本的な需要は海外にありますから、日本国内の事情はあまり影響しません。海外の需要さえうまく取り込めれば、経済は回っていきますから、輸出主導型経済は比較的容易に実現できます。実際、発展途上国が経済成長を目指して採用する戦略のほとんどは製造業の強化を通じた輸出振興策です。

しかし消費主導型経済において需要を作り出すのは自国民ですから、国内の消費者が積極的にお金を使う環境を作れなければ消費主導型経済は実現できません。

個人消費を活発にするには、企業の生産性を向上させ、賃金を引き上げるとともに、可能な限り貧困に陥る人をなくす努力が必要です。人間１人が消費できる財やサービスには限度がありますから、貧困率が高いと低所得者の消費が伸びず、消費には悪影響が及びます。諸外国を見ても、徹底的な弱肉強食で、貧困率が高く推移する一方で、極めて大きなビジネスチャンスが存在する米国は例外中の例外で、それ以外の国が消費を活発にするためには、貧困をできるだけ減らす努力が必要となります。

消費主導型経済の主役となるサービス業で高い生産性を実現したり、高度な金融サービスを確立したりするためには、国民が高いＩＴスキルを身につけなければなりません。そのためには、貧困率の低下と同じく、大学の無償化など教育政策を充実させることが重要となります。

そして何よりも大事なのは、多様性があり、他者に寛容な社会を構築することです。

生活を楽しむことを否定したり、他人を差別したり誹謗中傷したりする人が多い社会では、決して個人消費は拡大しません。新しいことへのチャレンジが難しかったり、外国から多くの人材がやってくることを忌避したりする風潮も消費経済には完全にマイナスとなります。

経済学において消費を増やす絶対的な方法というものは存在しておらず、国民のマインドに大きく依存するというのが現実です。この点において日本社会あるいは日本経済には多くの課題があると考えるべきでしょう。

日本国内の社会風潮と対中国政策というのは一見すると無関係のようですが、実は水面下ですべてつながっているのです。高度で豊かな消費社会を作るという目の前の努力をしっかりと積み重ねれば、それこそが、もっとも効果的な対中戦略となるはずです。

おわりに――もう見て見ぬフリはできない

先日、中国の技術的優位性を示すニュースがまたひとつ報じられました。

２０２１年１月からハイテク都市として知られている深圳《シンセン》において、一般市民が普通に利用できる完全自動運転車配車サービスがスタートしたというものです。

中国は自動運転技術の開発に総力をあげており、ＩＴ大手の百度（バイドゥ）は２０１９年から湖南省で自動運転タクシーの試験運転を行っているほか、米国カリフォルニア州でも試験の許可を得ています。ライドシェア大手の滴滴出行（ディディ）も上海市において人が操作しない完全自動運転タクシーの試験運行を始めました（操作はしませんが、安全のため人は乗務しています）。今回、深圳でスタートしたサービスはアリババが支援する企業が実施したものですが、タクシー内には誰も乗務しない完全無人運転システムであり、一般に開放された形での完全自動運転サービスは、おそらく世界初でしょう。

日本では自動運転など遠い将来のことと思っている人がたくさんいますが、隣国ではこのサービスがすでに商用化されています。ところが、こうした中国の現状を伝える報道は日本では驚くほど少ないというのが現実です。それは中国の躍進を伝える記事はあまり読まれず、中国を叩く記事ばかりが注目を集めるからです。

筆者は以前から、日本の隣に価値観を共有しない大国が出現しているという現実は、極めて重大な脅威であるとたびたび主張してきました。しかし中国の経済力や技術力をありのままに解説し、日本が抱える課題について指摘すると、決まって「反日」「日本下げ」といった意味不明な批判や誹謗中傷を受けます。

日本の一部世論は、利害が対立する強い相手のことは見て見ぬフリをして、自国のことを無条件で賛美することが愛国的と考えているようですが、これは極めて危険な兆候といわざるを得ません。目の前に迫る危機を直視せず、なかったことにする心理状態を「オストリッチ（ダチョウ）症候群」と呼びますが、中国に対する態度はまさに現実逃避するダチョウそのものです（実はこの名称には語弊があり、ダチョウは危機の際、頭を地面につけて身をかがめますが、それはあくまでも警戒のためであり、実際にはしっかりと周囲を見ているそうです。この言葉はダチョウに失礼かもしれません）。

国家間の覇権争いはもちろんのこと、企業間や個人の争いでも同じですが、対立する相手の状況をよく知ることは、すべてに優先する事項であり、これを放棄すれば、ほぼ確実に敗北につながります。そして常に最悪の事態を想定し、相手がベストシナリオで進み、自身がワーストシナリオで進んだ場合でも致命的な打撃を受けないよう、周到に準備する必要があります。その点において、今の日本は危機的な状況といえますし、現実から目を背ける日本社会の風潮は確実に中国にとって有利に働きます。

戦後の日本経済は、米国向けの輸出で成り立っており、米国への輸出さえ持続していれば、自動的に経済が回ってきました。

しかしながら、中国の台頭によって米国と中国は分断が進んでおり、日本企業は米国にだけモノを売っていればよい、という状況ではなくなっています。実際、日本経済の屋台骨ともいえる自動車産業は、中国市場をうまく攻略できなければ業績に極めて大きな影響が及ぶでしょう。

日本経済は徐々に消費主導型経済にシフトしており、企業もそれに対応してビジネスモデルを変えていかなければなりません。同時にビジネスのＩＴ化も急ピッチで進んでおり、この部分でも日本企業は抜本的な価値観の転換を迫られています。

しかしながら、こうした経済構造の変化は、対中戦略という点では大きなチャンスとなります。世界経済の中心が米国から中国にシフトする中、輸出主導型経済を持続すれば、必然的に中国を顧客にせざるを得ません。ドイツは人権問題に極めて敏感な国ですが、一方では製造業大国ですから中国が有力な取引相手となっています。国際社会ではドイツが中国に対して弱腰になっているとの批判の声が出ていますが、その理由は、輸出大国である以上、中国を相手にしなければ経済を成長させることができないからです。

日本が消費主導型経済へのシフトを進めることができれば、自動的に中国経済圏から離脱することができ、相互に干渉せず経済を回す道が見えてきます。結局のところ、内政問題は外交問題とイコールであり、外交問題の大半は経済で決まります。

中国の台頭という現実を前に、日本人は自国のあり方について根本的に考え直すタイミングが来ていると筆者は考えており、本書がその一助となることを願っています。

本書は前作の新書『貧乏国ニッポン』と同じく、幻冬舎の杉浦雄大さんの尽力で完成しました。この場を借りて感謝の意を表したいと思います。

著者略歴

加谷珪一《かやけいいち》

経済評論家。仙台市生まれ。
一九九三年東北大学工学部原子核工学科卒業後、日経BP社に記者として入社。
野村證券グループの投資ファンド運用会社に転じ、企業評価や投資業務を担当。
独立後は、中央省庁や政府系金融機関などに対するコンサルティング業務に従事。
現在は、「ニューズウィーク」や「現代ビジネス」など多くの媒体で連載を持つほか、
テレビやラジオで解説者やコメンテーターを務める。

主な著書に『貧乏国ニッポン』（幻冬舎新書）、

『日本は小国になるが、それは絶望ではない』（KADOKAWA）、

『億万長者への道は経済学に書いてある』（クロスメディア・パブリッシング）、

『感じる経済学』（SBクリエイティブ）、『日本はもはや「後進国」』（秀和システム）、

『ポスト新産業革命』（CCCメディアハウス）、

『戦争と経済の本質』（総合法令出版）などがある。

加谷珪一オフィシャルサイト http://k-kaya.com/